首都圏版㉓　最新入試に対応！ 家庭学習に最適の問題集!!

洗足学園小学校

2024年度版 過去問題集

合格までのステップ

出題傾向の把握

基礎的な学習

過去問にチャレンジ!

苦手分野の克服

2021～2023年度
過去問題を掲載

日本学習図書（ニチガク）

こんなこと…ありませんか？

「ニチガクの問題集…買ったはいいけど、、、
この問題の教え方がわからない（汗）」

メールでお悩み解決します！

☆ ホームページ内の専用フォームで必要事項を入力！
☆ 教え方に困っているニチガクの問題を教えてください！
☆ 確認終了後、具体的な指導方法をメールでご返信！
☆ 全国どこでも！スマホでも！ぜひご活用ください！

<質問回答例>

推理分野の学習では、後の学習に活きる思考力を養うことができます。ご家庭で指導する場合にも、テクニックにたよらず、保護者の方が先に基本的な考え方を理解した上で、お子さまによく考えさせることを大切にして指導してください。

Q.「お子さまによく考えさせることを大切にして指導してください」と学習のポイントにありますが、考える習慣をつけさせるためには、具体的にどのようにしたらいいですか？

A.お子さまが考える時間を持てるように、質問の仕方と、タイミングに工夫をしてみてください。
たとえば、「答えはあっているけど、どうやってその答えを見つけたの」「答えは○○なんだけど、どうしてだと思う？」という感じです。はじめのうちは、「必ず30秒考えてから手を動かす」などのルールを決める方法もおすすめです。

まずは、ホームページへアクセスしてください!!

http://www.nichigaku.jp　日本学習図書　検索

家庭学習ガイド
洗足学園小学校

ペーパー

巧緻性

運 動

親子面接

入試情報

応募者数：男子 321 名／女子 305 名
出題形式：ペーパー、ノンペーパー
面　　接：保護者・志願者面接
出題領域：ペーパー（記憶、図形、言語、推理、常識）、運動

入試対策

2018 年度より行われるようになった男女別日程の入学試験は、2023 年度も継続されました。男女によって問題内容が異なります。また、ペーパーテストの出題分野では、例年とは異なる傾向の問題も出題されています。過去問だけでなく、幅広い分野の対策を行い、対応できるようにしてください。

- 筆記用具はHBの鉛筆が使用されました。ふだんの学習において筆圧にも注意してください。
- ほぼ毎年といっていいほど傾向が変化しているので、動向が注目されます。
- 面接では、お子さま自身のことから、子育て、保護者の方の教育観、中学受験、または説明会参加の有無や感想、学校での勉強まで幅広く聞かれ、さらに答えた質問に対して掘り下げる質問がなされます。事前に願書と共に提出する親子面接資料に基づいて行われますので、準備をしっかりとしておいてください。

「洗足学園小学校」について

〈合格のためのアドバイス〉

当校は、中学入試に力を入れている小学校です。多くの児童が難関国私立中学に進学している実績が注目を集めています。当校では、６年生の１学期には小学校の履修内容をすべて修了し、２学期からは中学入試の対策を行う、というカリキュラムを策定しています。小学校受験においても、高度な授業内容に順応し、学力を伸ばす素地をもっているかどうかを観るものとなっています。

学力を伸ばす素地として、当校では、知的好奇心、思考力、そして家庭教育の３点を重視しているようです。身の周りにあるものの変化に気が付き、さまざまなものに興味を持って観察し、考えられるかどうかという、学習意欲や探究心を問う問題が出題されています。お子さまに指導する際には、保護者の方がそれらの点に気を配ってください。

試験全体では、ペーパーテストに重点が置かれているように感じられます。国語・算数・理科・社会の主要４教科の授業時数が標準より多く設けられており、密度の高い授業を行うため、授業に対する集中力や持続力もさることながら、向学心を持つことも大切となります。また、近年では思考力を判断するため、ペーパーテストの分野や形式のうち２割～３割を毎年入れ替えています。学習の際には、この点に留意してください。

運動テストでは、お子さまの運動能力というよりも、取り組む姿勢が観られています。待機中に座り込んだり、おしゃべりをしたりすることなく、お友だちを応援することができているかが重視されています。きちんと指示に従って行動することも重要です。ルールを守り、協調性を持って積極的に取り組むことができるようにしておきましょう。また、移動時やトイレ時、休憩中も試験中であるという意識を持ち、２時間の試験に集中して臨めるようにしてください。このような場でも、学校側による観察はしっかり行われています。

当校は入学時から「全員が中学受験をする学校である」ことを明確にしており、面接時にも中学受験についての質問が必ずあります。中学受験のことまでしっかりと考えた上で受験してください。

志願者本人への面接時には、１つの話題について掘り下げる質問がなされます。これにより、志願者が、どのような環境でどのような生活習慣を身に付けてきたかが表れます。お子さまの学習面や生活面だけでなく、お子さまを含むご家庭全体が評価されていると考えてください。

〈2023 年度選考〉

◆保護者・志願者面接
◆保護者面接資料（願書と共に提出）
◆ペーパーテスト
◆行動観察
◆運動テスト（集団）

◇過去の応募状況

2023 年度	男子 321 名	女子 305 名
2022 年度	男子 358 名	女子 349 名
2021 年度	男子 319 名	女子 360 名

入試のチェックポイント

◇受験番号は……「生年月日順」
◇生まれ月の考慮……「あり」

洗足学園小学校
過去問題集

〈はじめに〉

現在、少子化が叫ばれているにもかかわらず、私立・国立小学校の入学試験には一定の応募者があります。入試は、ただやみくもに学習するだけでは成果を得ることはできません。志望校の過去における出題傾向を研究・把握した上で、練習を進めていくこと、試験までに志願者の不得意分野を克服していくことが必須条件です。そこで、本問題集は小学校を受験される方々に、志望校の出題傾向をより詳しく知って頂くために、出題頻度の高い問題を結集いたしました。最新のデータを含む精選された過去問題集で実力をお付けください。

また、志望校の選択には弊社発行の「**2024年度版　首都圏・東日本　国立・私立小学校　進学のてびき**」をぜひ参考になさってください。

〈本書ご使用方法〉

◆出題者は出題前に一度問題を通読し、出題内容などを把握した上で、〈**準　備**〉の欄に表記してあるものを用意してから始めてください。
◆お子さまに絵の頁を渡し、出題者が問題文を読む形式で出題してください。問題を読んだ後で、絵の頁を渡す問題もありますのでご注意ください。
◆「**分野**」は、問題の分野を表しています。弊社の問題集の分野に対応していますので、復習の際の目安にお役立てください。
◆一部の描画や工作、常識等の問題については、解答が省略されているものがあります。お子さまの答えが成り立つか、出題者が各自でご判断ください。
◆〈**時　間**〉につきましては、目安とお考えください。
◆本文右端の［**○年度**］は、問題の出題年度です。［**2023年度**］は、「2022年の秋に行われた2023年度入学志望者向けの考査で出題された問題」という意味です。
◆**学習のポイント**は、指導の際にご参考にしてください。
◆【**おすすめ問題集**】は各問題の基礎力養成や実力アップにご使用ください。

〈本書ご使用にあたっての注意点〉

◆文中に**この問題の絵は縦に使用してください。**と記載してある問題の絵は縦にしてお使いください。
◆〈**準　備**〉の欄で、クレヨン・クーピーペンと表記してある場合は12色程度のものを、画用紙と表記してある場合は白い画用紙をご用意ください。
◆文中に**この問題の絵はありません。**と記載してある問題には絵の頁がありませんので、ご注意ください。なお、問題の絵の右上にある番号が連番でなくても、中央下の頁番号が連番の場合は落丁ではありません。
下記一覧表の●が付いている問題は絵がありません。

問題1	問題2	問題3	問題4	問題5	問題6	問題7	問題8	問題9	問題10
								●	
問題11	問題12	問題13	問題14	問題15	問題16	問題17	問題18	問題19	問題20
●									
問題21	問題22	問題23	問題24	問題25	問題26	問題27	問題28	問題29	問題30
					●	●			
問題31	問題32	問題33	問題34	問題35	問題36	問題37	問題38	問題39	問題40

㊢ 先輩ママたちの声！

◆実際に受験をされた方からのアドバイスです。
ぜひ参考にしてください。

洗足学園小学校

・例年出題されていた「お話の記憶」「点図形」が出題されませんでした。過去の出題傾向にとらわれず、幅広く学習する必要があると思います。

・説明会で、２割程度新しい問題を出す、と言われた通り、過去問にはない問題が出されました。

・試験が終わった後、待ち時間がありました。その時も学校にいるということを忘れず、本や折り紙などを持っていくなどして、静かに待てるようにしておいた方がよいと思います。

・受験者が多いので、試験直前にトイレが混雑していて、試験開始時まで席に戻れないお子さまが何人かいました。早めに余裕を持って試験会場に行くとよいと思います。

・面接では、願書に書いたアンケートを熟読した上での質問がなされます。説明会でも話がありましたがその通りでした。書いた内容をコピーしておく必要があります。

・ペーパーは、過去問や問題集などが一通りできるようになったら、時間を計って制限時間内に解く練習をした方がよいと思います。

・中学校受験についての考えを、面接で聞かれました。

・面接では、父親・母親のそれぞれが、学校説明会・入試説明会・運動会の、どれに参加したかについて質問されました。学校説明会では、実際に通っていらっしゃる児童さんのお話や、プリント・ノートなどを見せていただく機会もあったので、とても参考になりました。

◎学習効果を上げるため、前掲の「家庭学習ガイド」及び「合格のためのアドバイス」をお読みになり、各校が実施する入試の出題傾向を、よく把握した上で問題に取り組んでください。
※冒頭の「本書のご使用方法」「ご使用にあたっての注意点」も併せてご覧ください。

2023年度の最新入試問題

問題1　分野：数量

〈準備〉　鉛筆

〈問題〉　左の積み木と同じ数だけ、右のマス目に○をつけてください。

〈時間〉　各30秒

〈解答〉　①○13つ　②○15つ

学習のポイント

見えない積み木の存在を正確に数える、記号を書くことが求められます。積み木の数が多いことから、見えない積み木の存在をしっかりと認識できるようにしましょう。その上で、数えるスピードをアップすることが求められます。数をしっかりと把握するためには、まず、基本となる下段４つ、上段４つの計８個の基本形を理解しましょう。その基本形に足したり引いたりすることで数を把握することもできます。数がわかったら、同じ数の積み木を渡し、実際に積ませます。これを繰り返すことで見えない積み木の存在を把握することができます。次に○を書く作業ですが、数を正確に、記号は丁寧に、早く書かなければなりません。そのためには、○を書く練習が必要です。○を書くことぐらい大丈夫と思う方も多いと思いますが、この問題に限らず、解答記号を丁寧に、正確に書くことは大切です。

【おすすめ問題集】

Ｊｒ・ウォッチャー14「数える」、16「積み木」、51「運筆①」、52「運筆②」

問題2　分野：数量

〈準備〉　鉛筆

〈問題〉　**この問題の絵は縦に使用してください。**
左の積み木を崩して、右の積み木を作ります。使わなかった積み木の数だけ、マス目に○をつけてください。

〈時間〉　１分

〈解答〉　①○５つ　②○３つ　③○４つ　④○２つ

学習のポイント

この問題は積み木の問題としては面白い問題だと思います。単に数えるだけでなく、その積み木で別の積み木を作らせ、余った数を解答する。これだけの操作をするとなると、しっかり理解をしていなければ対応することができません。また、問題をしっかりと聞いていないと最終的に何を問われているかが分からなくなってしまいます。そのようなことから、当問題は積み木の問題の理解を判断するには良問といえるでしょう。先ずはしっかりと基本を理解し、問われていることに対応できるようにしましょう。複数のことを問われている問題のときは、焦らず対応することが大切です。複数指示が出されると、一見難しそうに見えますが、問われてている内容を一つひとつ観ていくと、難しいことはありません。全てをまとめて考えるのではなく、一つひとつの課題をクリアしていく感じで取り組むとよいでしょう。

【おすすめ問題集】

【おすすめ問題集】
Ｊｒ・ウォッチャー14「数える」、16「積み木」、
38「足し算・引き算１」、39「足し算・引き算２」、51「運筆①」、52「運筆②」

問題３　分野：図形（回転図形）

〈準備〉　鉛筆

〈問題〉　左の模様を矢印の方向に回転させると、どのようになりますか。右から選んで、〇をつけてください。

〈時間〉　各20秒

〈解答〉　下図参照

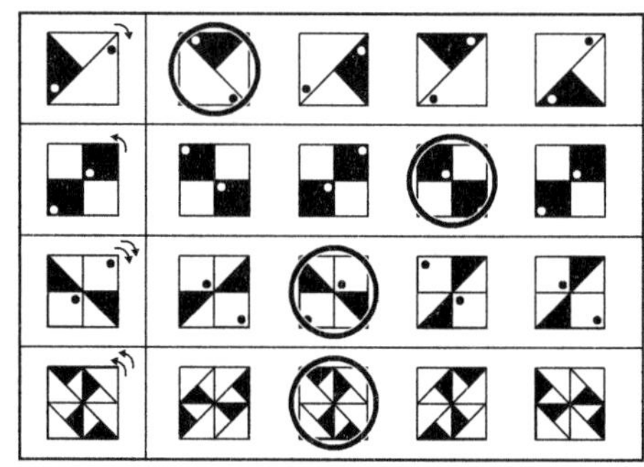

学習のポイント

元の絵が回転するとどのようになるか。90°、180°、270°まずは、この基本がしっかりと理解できているかを確認しましょう。それが理解できていたら、この問題は難しくはないと思います。描かれている絵が複雑になっても、それぞれ回転したときの見え方は基本と変わりません。また、このような図形問題の場合、答え合わせを保護者の方がするのではなく、お子さま自身にさせることで、理解度がアップします。1例として、クリアファイルとホワイトボード用のペンを用意します。クリアファイルを元の絵の上に重ね、上からペンでなぞります。書き終えたら、クリアファイルを回転させることで解答になります。あとは選択肢の上に重ね、自分が選択したものと一致すれば正解です。そのとき、他の選択肢は何処が違うのかを言わせることで更に理解度がアップします。

【おすすめ問題集】
Ｊｒ・ウォッチャー5「回転・展開」、46「回転図形」

問題4　分野：図形（重ね図形）

〈準備〉　鉛筆

〈問題〉　左側の二つの模様を重ねると、どのようになるでしょう。右の□の中に描いてください。

〈時間〉　各1分

〈解答〉　下図参照

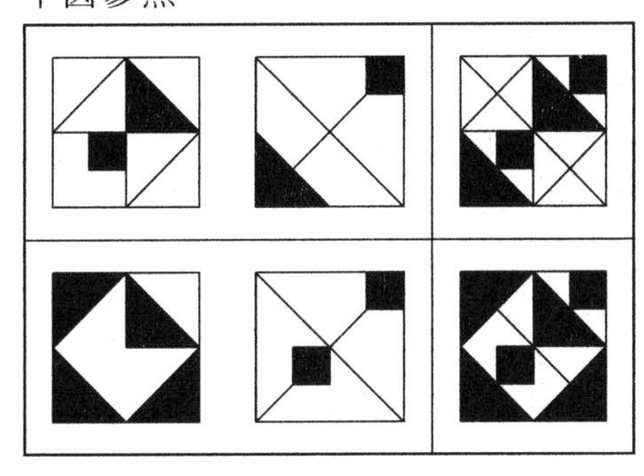

家庭学習のコツ①　「先輩ママのアドバイス」を読みましょう！

本書冒頭の「先輩ママのアドバイス」には、実際に試験を経験された方の貴重なお話が掲載されています。対策学習への取り組み方だけでなく、試験場の雰囲気や会場での過ごし方、お子さまの健康管理、家庭学習の方法など、さまざまなことがらについてのアドバイスもあります。先輩ママの体験談、アドバイスに学び、ステップアップを図りましょう！

この問題も回転図形と同じです。位置関係がどうなっているのかが問題を解くポイントになります。図形の問題は総じて位置関係の把握、空間認識力が大きく関わります。この力がしっかりと身についていれば、図形問題が得意になるでしょう。そのためには、問題を解く量を多くする前に、理解度を上げることに重点を置いた学習をしましょう。先ずは「理解」をすることに重点を置き、その後「問題量を多く」した学習を行います。この時、具体物を使用し、視覚化した学習を積極的に取り入れます。この時点では、間違えても構いません。むしろ、間違えたた方が、正解がどうなるのかと試行錯誤しますからよいと思います。そのようにして正解を自分で発見できると自信につなげることもできます。保護者の方は、全てを指導するのではなく、少しだけヒントを与え、お子さま自身で発見できる環境を整えることを意識してください。

【おすすめ問題集】
Ｊｒ・ウォッチャー35「重ね図形」、41「数の構成」
51「運筆①」、52「運筆②」

問題5 分野：常識

〈準備〉 鉛筆

〈問題〉 絵を見て、後の質問に答えてください。
①「ヘンゼルとグレーテル」に登場する場面に○をつけてください。
②「シンデレラ」に登場する場面に△をつけてください。

〈時間〉 各20秒

〈解答〉 下図参照

学習のポイント

昔話の内容を問う問題ですから、お話の内容を知っていないと解答することはできません。保護者の方は、この出題の意図することを正確に理解し、対応しなければなりません。その点を間違えると、試験対策は失敗してしまいます。この問題は、単にお話を知っているか否かという知識を問う内容ではありません。この問題から目を離し、当校の入試問題全体を観ると、複合問題であったり、指示が多かったりすることが分かると思います。このような問題に対応するには、話をきちんと聞けなければなりません。そのようなことから、この問題が意図するところは「読み聞かせ」をしっかりとして欲しいというメッセージが込められていると理解できます。このメッセージを正確に受け取り、対応することが当校が求めている試験対策と言えるのではないでしょうか。その上で、個々の問題を解く力を身につけていきましょう。

【おすすめ問題集】

1話5分の読み聞かせお話集①②

問題6　分野：常識（理科）

〈準備〉　鉛筆

〈問題〉　桜のつぼみに○をつけてください。

〈時間〉　20秒

〈解答〉　下図参照

学習のポイント

桜のつぼみを問われていますが、試験直前に桜のつぼみを探しても街中にはありません。この問題も、日常生活を送るにあたり、色々なことに興味関心を持って欲しいというメッセージとも受け取れる内容です。と申すのも、高い学力を身につけるためには、「興味関心」「探究心」は必要不可欠です。そして、これらは身の回りにある自然から影響することが多くなります。この刺激を日常生活の中にたくさん取り入れてください。そして、お子さまの知的好奇心を育んでください。当校は、そういう子どもを求めています。というメッセージにつながっていきます。桜のつぼみを見たときも、「枝から直ぐに花が咲くのか」「つぼみの状態は、色は、形はどうなっているか」「他の鼻と違う処はどこか」など、関連した質問をし、興味関心を刺激しましょう。こうした積み重ねが、知的好奇心の伸長につながっていきます。

【おすすめ問題集】

Ｊｒ・ウォッチャー27「理科」

問題7　分野：常識（理科）

〈準　備〉　鉛筆

〈問　題〉　コップの中にそれぞれ水とビー玉が入っています。ビー玉を取り出したとき、水の高さが一番高くなるものに○をつけて下さい。

〈時　間〉　20秒

〈解　答〉　右から２番目

学習のポイント

小学校受験の問題としてはオーソドックスな内容の一つです。似た問題では、水の量と砂糖の濃度の問題、氷の解ける早さなどがあります。これらの問題は、知識として理解するよりも、実際に実験を行い理解を深めた方が理解度もアップすると思います。こうした学習は小学校受験全般に言えることです。保護者の方は口頭で上手に説明をして理解度をアップしようと試みると思いますが、お子さまの経験では、なかなか思うようには進まないと思います。小学校受験の学習において、近道を模索するよりも、あえて遠回りをした方が理解度がアップすることはよくあります。直線で近道を探す学習をするのではなく、「急がば回れ」の諺のように、あえて時間を設け実践実験をしたり、具体物を使用して検証することを心がけるとよいと思います。ぜひ、日々の学習に取り入れてみてください。

【おすすめ問題集】
Ｊｒ・ウォッチャー27「理科」

問題8　分野：巧緻性（絵画）

〈準　備〉　クーピーペン

〈問　題〉　雷１つを薄い青色で、雨粒２つを橙色で塗りましょう。
楕円に「雨上がりの空を見上げている自分」の顔を描きましょう。
時間が余ったら空いているスペースに好きな絵を描きましょう。

〈時　間〉　15分

〈解　答〉　省略

学習のポイント

近年、色を和の呼称で読んだときに、色が分からないお子さまがいると言われています。この問題も「橙」と指示がでていますが、「橙色」と言われてきちんと選択できたでしょうか。普段使用している色鉛筆などは、和名が記されていないと思います。ですから、意識をして和名を教えることも求められてきます。入試対策では、このようなこともしなければなりません。絵画の方ですが、お子さまはどうでしたか。描いた顔は笑顔だったでしょうか。絵画は書いた人の心理を表すといわれています。明るく、素敵な絵だといいですね。また、描いた線が生き生きしていたでしょうか。そのような生きた線がたくさんあると評価も高くなります。また、一つひとつの物を大きく、しっかりと描くように心がけてください。それと同時に、絵画は楽しく取り組むことを心がけてください。

【おすすめ問題集】
　Ｊｒ・ウォッチャー24「絵画」、51「運筆①」、52「運筆②」

問題9　分野：行動観察

〈準備〉　音楽プレイヤー

〈問題〉　**この問題の絵はありません。**
4～5人のグループに分かれて行う。
音楽が流れ、先生が手をたたいたら、そのタイミングでジャンプする。

〈時間〉　適宜

〈解答〉　省略

学習のポイント

音楽が流れている途中に先生が手を叩く。手を叩かれたらジャンプをする。これだけの内容ですが、保護者の方は、どれぐらいの観点（チェックポイント）が浮かんだでしょうか。実は、このような問題の場合、できる、できないもさることながら、問題の中にどれだけのチェックポイントが含まれており、それを日常生活に落と込んで対策をとれるかが大切になってきます。この問題では、音楽を聴くときの姿勢、先生をしっかりと意識しているか。反応よく動作ができたか。他人の動作を見てから動くのはよくありません。そして、意欲的に取り組めたかなどが挙げられます。これらのことを身につけるには、日々生活を送る中で、何事も集中して取り組む。人の話を目を見てしっかりと聞く（話す人の方を向いて話す）などを繰り返し行わなければなりません。こうしたことは急には身に付くことではありませんから、繰り返し行い身につけるようにしましょう。

【おすすめ問題集】
　Ｊｒ・ウォッチャー28「運動」、29「行動観察」

問題10 分野：運動

〈準備〉 机２台、箱ティッシュ２個、ティッシュを入れる用のカゴ２個、フラフープ2個

〈問題〉 ２チームに分かれて行う
①バンザイしながらコースの真ん中まで歩いてください。
②コースの真ん中から端まで、グージャンプで移動してください。
③コースの端から机のところまで、歩いて移動してください。
④机のところまで来たら、相手チームの子とジャンケンをしましょう。
ジャンケンに勝ったら、机の上にあるティッシュを１枚とって、丸めて自分チームのカゴに入れましょう。
⑤フラフープの内側に立ち、先生の「はじめ」の合図で、両目を閉じて片足立ちをして下さい。「やめ」といわれるまで、フラフープから出ずに立っていられたら、先生からティッシュを一枚受取り、丸めて自分チームのカゴに入れましょう。

〈時間〉 適宜

〈解答〉 省略

学習のポイント

当校の運動テストはサーキット形式や複数の運動を連続して行う方式が採られています。この問題もそうですが、行う内容が多いため、指示も多く出されることになります。各種目をしっかり行うためには、指示をしっかりと覚えておかなければなりません。また入試ですから、ただできればいいというのではなく、それぞれの内容に対して意欲的に取り組む必要があります。これだけ多くの内容を最後までやりきるには、体力と集中力の維持が求められるため、この年のお子さまにとっては難易度の高い内容といえるでしょう。対策としては、それらを踏まえて、個々の内容について観ていくことが求められます。前年も同じような出題形式で、複数の内容を一つにまとめて実施されています。それぞれの約束を守りながら運動をすることは難しいため、入試を想定した練習をしておかれることをおすすめいたします。

【おすすめ問題集】
Ｊｒ・ウォッチャー28「運動」、29「行動観察」

問題11　分野：面接

〈準備〉　なし

〈問題〉　**この問題の絵はありません。**

・本校をどこで知りましたか。
・何回行事に参加しましたか。（父母それぞれ聞かれる）
・受験勉強はいつ頃から始めましたか。
・洗足学園を志望したのはいつからですか。
・習い事はしていますか。
・週に何冊本を読みますか。
・お子さまが好きな本のタイトルは何ですか。
・お子さまが今熱中していることはなんですか。

〈時間〉　適宜

〈解答〉　省略

学習のポイント

面接の内容は特別難しい内容はありません。学校に関すること、入試関すること、お子さまに関することと、大別することができます。面接の対策は個々の質問に対して解答を用意するのではなく、聞かれている内容を大まかにとらえておく方が対応しやすいと思います。そして、そうすることで、用意した回答を述べるのではなく、自分で考え、自分の言葉で述べることが大切です。面接では、正解を求めて回答をするのではなく、自分がされていること、考えに自信を持って堂々と回答しましょう。面接テストに関しては、弊社から面接テスト問題集（子ども用）、面接テスト最強マニュアル（保護者用）がございます。どちらもアドバイスに定評がある問題しゅうですから、そこに掲載されてあるアドバイスを、ぜひ、ご覧ください。参考になるアドバイスがたくさん詰まっています。

【おすすめ問題集】

新 小学校受験の入試面接Ｑ＆Ａ、入試面接最強マニュアル、面接テスト問題集

2022年度以前の入試問題

問題12 分野：常識（理科）

〈準 備〉 鉛筆

〈問 題〉 ①左の四角の中に描かれた幼虫が、成虫になった時の絵を右から選んで○をつけてください。
②左の四角の中に描かれた足跡の動物を、右から選んで○をつけてください。
③左の四角の中に描かれた花が咲く時期と、違う時期に咲く花を右から選んで○をつけてください
④左の四角の中に描かれた生き物が食べる物を、右から選んで○をつけてください。

〈時 間〉 各15秒

〈解 答〉 ①左から2番目（トンボ） ②右端（アヒル）
③右から2番目（チューリップ） ④左から2番目（笹）

［2022年度出題］

学習のポイント

常識の問題として4問出題されていますが、それぞれの問題は独立して出題されてもおかしくない問題です。それぞれの問題が独立して、複数出題されているのなら、他の問題から連想したりすることも可能ですが、この出題のように、色々な問題がまとめて出題されていると、幅広い知識が求められ、対策が難しいと言わざるを得ません。このような出題方法を取り入れる学校の意図として、幅広い知識の有無を観たいということよりも、知的好奇心を持っているか、生活体験を通して知識をえることに興味を持っているかを観たいという意識の表れと受け取ることができます。ですから、これから当校の受験を考えておられる保護者の方は、このような出題をヒントに、生活体験を多く取り入れ、知的好奇心の伸長に努めるとよいでしょう。

【おすすめ問題集】
Ｊｒ・ウォッチャー27「理科」

問題13 分野：言語（しりとり）

〈準 備〉 鉛筆

〈問 題〉 ★から始まって、☆で終わるようにしりとりをします。四角に入るものを下の絵から選んで、線でつないでください。

〈時 間〉 1分

〈解 答〉 リュックサック→くつ→つみき→キツネ

［2022年度出題］

学習のポイント

解答時間が１分と短く感じると思います。しかし、時間を意識するのではなく、問題を解くことを楽しむことに重点をおいてとくとよいでしょう。問題として向き合うと、正解をしなければならないと、余計な力が入ってしまいます。しかし問題をよく見ると、特別難しい問題ではありません。このような問題の場合、リラックスして臨んだ方が良い結果が得られると思います。また、しりとりの問題ですが、線を引くという運筆の要素も入っています。筆記用具の持ち方は正しくできていたでしょうか。引いた線は、しっかりとした直線でしたか。筆圧はどうだったでしょう。このようなこともしっかりと確認してください。また、出題では点と点を結ぶ指示が出ています。お子さまの解答用紙をご覧になり、点同士をしっかりと結べていたかも大切です。自信がない解答の場合、線が乱れることがよくあります。このようなことからお子さまの理解度を測ることもできます。

【おすすめ問題集】

Ｊｒ・ウォッチャー17「言葉の音遊び」、18「いろいろな言葉」、
60「言葉の音（おん）」

問題14　分野：図形（四方からの観察）

〈準 備〉　鉛筆

〈問 題〉　絵の中で、２番目に多いものはどれですか。その絵の下の四角に○をつけてください。

〈時 間〉　各20秒

〈解 答〉　①右から２番目　②右から２番目　③左端

［2022年度出題］

学習のポイント

この問題は、保護者の方が答え合わせをするよりも、お子さま自身に答え合わせをさせた方がより効果的です。その方法ですが、まず、問題の絵は幾つの積み木で構成されているかを確認し、その数と同じ数の積み木を渡します。そしてその積み木をテーブルの上に実際に積みます。数が合っていれば、絵と同じ積み木を積むことができますが、間違えているとできません。この時点で「積み木を数える」学習ができます。次に、実際にテーブルを回り、その方向からどのように見えるかを確認します。そして、自分の解答が合っているかを確認しましょう。間違っていた場合、何処がいけなかったのかを確認しましょう。このように積み木を実際に積んで確認をすることで、問題を解く際、頭の中で積み木を積んで、考えることが可能になってきます。時間がかかるかもしれませんが、その分、集中していられる時間も伸びていると思います。

【おすすめ問題集】

Ｊｒ・ウォッチャー10「四方からの観察」、16「積み木」、
53「四方からの観察　積み木編」

問題15　分野：推理（置き換え）

〈準備〉　鉛筆

〈問題〉　上の絵を見てください。いくつかの動物の絵が並んでいます。この中でコアラとライオンの絵を入れ替えると、どうなりますか。下から選んで、左の四角に○をつけてください。

〈時間〉　各30秒

〈解答〉　下から２番目

［2022年度出題］

学習のポイント

この問題ですが、お子さまはどのように考えたでしょうか。片方の動物を選択し、確認を行っていったか。それとも両方の動物を入れ替えて確認をしたのか、どちらの方法で行ったのかは確認しておいていください。どちらの方法を用いても構いません。お子さまが得意とする方を用いてください。ただ、問題の絵を見たとき、何処に着眼すればよいのかは、時間をかけずに見つけられると良いでしょう。この点が早くなればなるほど、その後の思考時間を得られるため、間違いの確率が減ってきます。問題を解くことだけでなく、こうした着眼点に関することも大切ですから覚えておいてください。問題自体は難しくありませんから、慌てず、確実にチェックしていくようにしましょう。

【おすすめ問題集】
Ｊｒ・ウォッチャー57「置き換え」

問題16　分野：図形（重ね図形）

〈準備〉　鉛筆

〈問題〉　上の絵を見てください。縦に並んでいる二つの模様を重ね合わせると、どのような模様になりますか。下の絵から選んで、線で結んでください。

〈時間〉　30秒

〈解答〉　下図参照

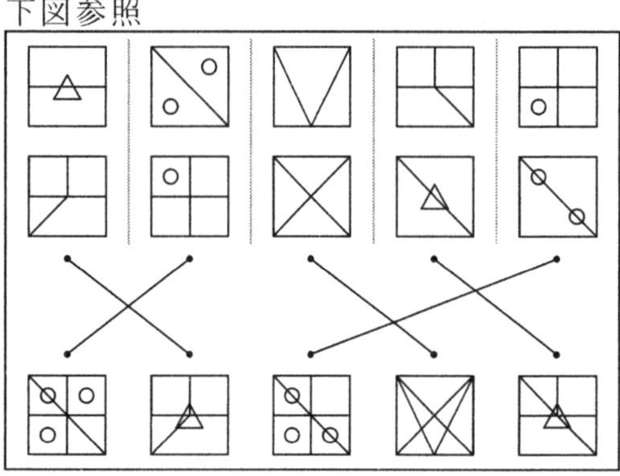

［2022年度出題］

学習のポイント

この問題もお子さま自身で答え合わせをさせましょう。用意するものは、透明なクリアファイルとホワイトボード用のペンです。問題を解いたら、クリアファイルを片方の図形の上に置き、上からホワイトボード用のペンで形をなぞります。なぞり終えたら、クリアファイルをもう片方の図形に重ねます。そうして見えた形が正解ですから、解答が合っているかどうかを自分で判断することができます。この方法は、他の図形の問題でも使用することができますので、1セット用意しておかれるとよいでしょう。お子さまの実力アップを図るには、正解か不正解かだけを観るのではなく、正解ではない選択肢は、何処が違うのかも確認しましょう。この作業を行うことで、論理的思考力が鍛えられますし、ただ問題を解くだけよりも力が付きます。

【おすすめ問題集】

Ｊｒ・ウォッチャー35「重ね図形」

問題17　分野：図形（座標）

〈準備〉　鉛筆

〈問題〉　上の絵を見てください。右側に4通り、進み方のお約束が描かれています。右下の男の子が、左上のお花屋さんに到着するには、左端のお約束の通りに移動する必要があります。
同じように、下の絵の女の子（男の子）が、それぞれお花屋さんに到着するには、どんなお約束の通りに移動すればよいでしょうか。右のお約束の中から選んで、○をつけてください。

〈時間〉　１分

〈解答〉　①下から２番目　②１番上

［2022年度出題］

学習のポイント

位置の移動は、移動する対象が人か、記号（物など）かによって考え方が変わります。人が移動する場合、向きによって左右が変化することを理解していなければなりません。この、左右が変化することは言葉で説明をしてもなかなか理解は難しいでしょう。その場合、自宅の床に座布団などを敷き、マスを作ります。そして、実際に移動をして向きによって左右が変わることを理解しましょう。この問題は移動する約束が書いてあります。その通り移動させていき、どこかが違えば、それは正解ではありませんから直ぐに次の約束の検証を行いましょう。この切り替えが素早くできるかどうかが大切です。初見である程度の検討がつけられると、選択肢を減らすことができるので有効です。このような力をつけるには、問題数をこなすことが大切です。類題をたくさん解き、力をつけましょう。

【おすすめ問題集】

Ｊｒ・ウォッチャー2「座標」、47「座標の移動」

問題18　分野：常識（理科）

〈準備〉　鉛筆

〈問題〉　同じ大きさのコップに、それぞれ違う量の水が入っています。上の砂糖を水に混ぜたとき、水が１番甘くなるコップはどれですか。下の四角に○をつけてください。

〈時間〉　15秒

〈解答〉　右端

［2022年度出題］

学習のポイント

この問題は小学校受験においてオーソドックスな問題の一つと言えます。コップと水の量、また、投入する砂糖の量によっても糖度は変化します。この関係性についても、言葉で説明してもなかなか理解できないと思います。ですから、実際に実験を行いましょう。また、実験をするなら、まずは、コップの大きさと水の量の関係性について学び、その発展として、糖度についてを学ぶと良いでしょう。このコップの大きさと水の量の関係性は、応用問題を解くときも必要な力となります。この問題に限らず、具体物を使用した学習、検証はおすすめします。お子さまの好奇心を刺激しますし、片付けなども学ぶことができます。また、この問題に限らず、具体物を使用した学習において学べる範囲は、指導する側によって変わります。保護者の方はその点をしっかりと認識しましょう。

【おすすめ問題集】

Ｊｒ・ウォッチャー27「理科」、55「理科②」

問題19　分野：図形（構成）

〈準備〉　鉛筆

〈問題〉　左上の四角の中に描いてある形を、8つ組み合わせてできるもの全部に○をつけてください。

〈時間〉　20秒

〈解答〉　下図参照

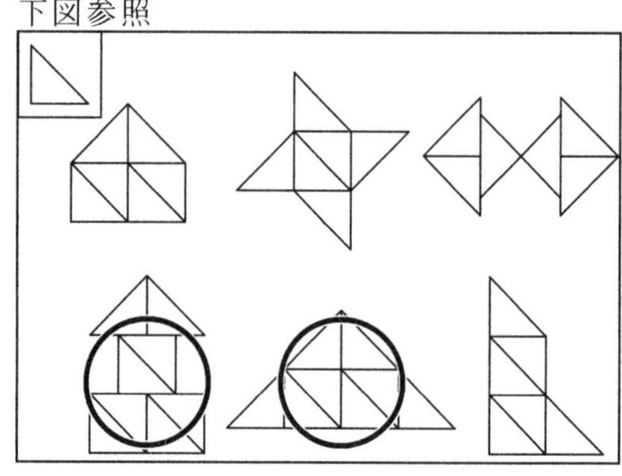

［2022年度出題］

学習のポイント

この問題は使用する形の数が指定されています。ですから、問題をしっかりと聞いていないと、求められている解答とは違う解答をしてしまう可能性があります。近年、コロナ禍の影響もあり、人の話が聞けない子ども、大人が増えていると言われています。保護者の方は、お子さまが問題を解いている様子をしっかりと観察し、指示をしっかりと聞いているかどうかをチェックしましょう。話を最後まで聞けないお子さまの場合、保護者の方も同じ傾向があると言われています。親はこの鑑です。保護者の方は規範意識を持って日常生活を送るようにしましょう。この問題を解く歳、これがダメなら、こっちならどうかと、観点の切替ができることも重要です。問題を解く歳、じっくりと集中して解くことが求められる問題と、できないときは素早く切り替えて次のものに取り組むことが求められる問題とがあります。その違いは学習をとして習得するようにしましょう。

【おすすめ問題集】

Ｊｒ・ウォッチャー９「合成」、45「図形分割」、54「図形の構成」

問題20　分野：推理（迷路）　※第一志望入試

〈準備〉　鉛筆

〈問題〉　図書館を利用するときに、正しくないことをしている人全員に×をつけてください。

〈時間〉　20秒

〈解答〉　下図参照

［2022年度出題］

学習のポイント

コロナ禍以降、小学校の入試において、このような常識問題が頻出となっています。また、出来、不出来が分かれる分野の一つと言われています。このような差が付くといわれている問題で正解をすることが合格へ近づきます。差が付く原因として、コロナ禍の生活を強いられたお子さまの生活体験不足が大きく影響しているといわれています。道徳などの常識問題については、口頭で説明してもなかなか定着はしません。お子さまの月齢を考慮すると、まだまだ体験が乏しいため、そのときは理解しても定着とまではいかないようです。「他人に迷惑をかけてはいけない」といった内容を指導するときは、まず、自分がされたらどうかを体験させてみましょう。体験することで、される側の気持ちが分かります。その上で説明をすれば、効果的な学習ができます。その後は実際に図書館に行き、どのようにすればいいのか体験させることをおすすめいたします。

【おすすめ問題集】
Ｊｒ・ウォッチャー56「マナーとルール」

問題21　分野：常識

〈準備〉　鉛筆

〈問題〉　左側の四角に描かれている絵と一緒に使われるものを右側から選んで、○をつけてください。

〈時間〉　１分

〈解答〉　①右から２番目　②左から２番目　③右端　④左端

［2022年度出題］

学習のポイント

道具のペアリングの問題ですが、このような問題の場合、使用経験の有無、多少。使用経験がなくても知識として知っているか否かによって、結果は変わると思います。知識があれば、選択肢の中から正解を見つけて解答することができますが、分からない場合は、消去法で正解を見つけていくことをおすすめします。まず、選択肢の中から、明らかに当てはまらない物を削除し、選択肢を減らします。選択肢を減らした状態で、何に使うのか（使用方法）、季節はどうかなど、状況に合わせ、観点別に検討していきます。そして一番他切なことは、慌てないことです。焦ると、思考が空回りしてしまいます。そうなっては、よい考え方はできません。家庭学習時にわからないときは、一度深呼吸をしてから消去法を用いるとよいでしょう。落ち着いて問題に取り組めば、難しい問題でも解けることを経験することで、自信へとつなげていくこともできます。

【おすすめ問題集】
Ｊｒ・ウォッチャー11「いろいろな仲間」、「日常生活」

問題22 分野：巧緻性（絵画）

〈準備〉 クーピーペン（7色）、上下２箇所に穴をあけた画用紙
（問題22の絵を参照し、表面には模様を、裏面には楕円形を描いておく）
綴りひも１本

〈問題〉 ①四角と菱形を、薄い青で塗ってください、丸と三角は橙色で点線をなぞってください。
②画用紙を裏返すと、楕円が描いてあります。この楕円を使って「サンタさんにプレゼントをもらって喜んでいるあなたの顔」を描いてください。空いているところには自由に絵を描いてください。
③②で描いた絵が表になるように、画用紙を半分に折ってください。その時、上と下の穴がぴったりと重なるようにしてください。それができたら、穴にひもを通し、蝶結びをしてください。

〈時間〉 ①１分30秒　②８分　③１分

〈解答〉 省略

［2022年度出題］

学習のポイント

まず、指示をしっかりと聞き、覚え、対応できたでしょうか。この点を確認してください。巧緻性の問題では、これができなければ、その後の作業が得意であっても良い点数を得ることはできません。特に巧緻性の問題は、複数の指示をまとめてされることがよくあります。その上で、丁寧に塗ることができたか、物を丁寧に扱えたか、できばえはどうだったのかなどがきます。実際の作業の上達には、慣れ、経験量が求められる分野でもあります。そのため、学習時だけでなく、日常生活に入試で行われる作業を落とし込んで取り組ませることで、試験で行われる作業の経験量を増やすことができます。例えば、牛乳パックの片付けを利用すれば、「洗う：水回りの水滴、雑巾絞りなど」「切る：ハサミの使い方、使用しないときの扱い」「まとめる：バラバラにならないよう紐で結ぶ」など、巧緻性で頻出の作業をお手伝いとして経験することができます。身の回りには他にも色々ありますから、探してみましょう。

【おすすめ問題集】
実践 ゆびさきトレーニング①②③
Ｊｒ・ウォッチャー23「切る・貼る・塗る」、24「絵画」

問題23　分野：巧緻性（行動観察）

〈準備〉　アルミホイル（約25cm×25cm）、タコ糸、丸シール２枚、紙コップ
クーピーペン

〈問題〉　これからけん玉を作ります。作り終わったら、みんなでけん玉ゲームをしましょう。

①アルミホイルの上にタコ糸の端を置き、丸シール１枚で留めます。そのあと、シールが見えなくなるように、アルミホイルを丸めてください。
②タコ糸のもう一方の端を、紙コップの底の部分に、丸シールでしっかりと留めます。
③時間が余った人は、クーピーペンで紙コップの周りに絵を描きましょう。
④２グループに分かれて、けん玉ゲームに挑戦しましょう。球がコップに入った人は、その場で座ってください。15秒間で、座っている人が多いチームの勝ちです。ゲームが終わるまでは、声を出さないようにしましょう。

〈時間〉　15分

〈解答〉　省略

[2022年度出題]

学習のポイント

前問では２次元的要素が多かった問題でしたが、本問では立体物の制作のあと、実際に作った物を利用して遊んでいます。ですから、しっかり作らないと遊んでいる最中に壊れてしまいます。その様な観点からも、巧緻性のできの評価を行うことができます。そのことを考慮すると、立体物の制作は、より堅実な作業、細かな配慮、指示の遵守が求められていると受け取ってよいでしょう。このような問題の対策として、問題を聞くことと、作ることを別にして対策をとるのもおすすめです。指示を聞き覚えることはお話の記憶の要素と重複することが多いことから、聞く力を高めるために、普段から指示はまとめてするようにします。そして、作業の方は量を重ねなければ上達はできません。毎日、何でもよいですから、立体物の制作を取り入れてください。時には自由に、時には指示をした物をなど色々取り混ぜて行うとよいでしょう。

【おすすめ問題集】
実践 ゆびさきトレーニング①②③
Ｊｒ・ウォッチャー23「切る・貼る・塗る」、29「行動観察」

問題24　分野：巧緻性（行動観察）

〈準備〉　紙皿２枚、ストロー２本、テープ、折り紙３枚、モール６本、ハサミ、クーピーペン

〈問題〉　紙皿を使って、動物の顔のうちわを作ります。作り終わったら、うちわを使ってその動物の真似をしてみましょう。

①紙皿の裏側にストローを貼り付けます。ストローは持ち手になるので、紙皿がグラグラしないように、しっかりと張り付けましょう。
②紙皿の表側で、動物の顔を作ります。目や耳など、必要な部分はほかの材料を使って自由に作りましょう。作り終わった人は、席に座って静に待ちましょう。
③全員が作り終えたら、席順に一人ずつその場で立ち、うちわをお面のように顔に当てて、あなたが作った動物の真似をしてください。その時、声を出してはいけません。

〈時間〉　15分

〈解答〉　省略

［2022年度出題］

学習のポイント

紙皿を使用して団扇を作成したあと、団扇を顔に当ててその動物の真似をします。制作することについては、既に述べていますが、基本はこの問題でも時です。このように続いて行動観察を行う場合、気持ちの切り替えも必要になってきます。この気持ちの切り替えも入試では大切な要素となっています。この問題だけを取り上げても、制作物を作成中は、静の状態を保ち、行動観察では、積極的な動きが求められます。この問題に限らず、気持ちの切り替えは大切です。このような行動観察の場合、積極的に取り組めているかという点が観点の中に含まれます。ですから、大人しくしていると、積極性において減点をされてしまう可能性があります。こうしたことから、気持ちの切り替えが必要になります。

【おすすめ問題集】

【おすすめ問題集】
実践 ゆびさきトレーニング①②③
Ｊｒ・ウォッチャー23「切る・貼る・塗る」、29「行動観察」

問題25　分野：運動（行動観察）

〈準備〉　机２台、箱ティッシュ２個、ティッシュを入れる用のカゴ２個

〈問題〉　2チームに分かれます。それぞれのチームからひとりずつスタートします。

①スタートからまっすぐに引かれた線の上を、頭の上で両手を拍手しながら進みます。
②横に引かれた線まで来たら、右に90度回り、ケンパーをしながら進みます。
③前方にある机まで、両手を床と水平になるように広げ、線の上を歩いて進みます。
④机のところで、お互いが会ったら、その場で片足バランスをしたまま、じゃんけんをします。じゃんけんは、一回勝負です。じゃんけんが終わったら、両足を着きます。じゃんけんで勝った人は、机の上のティッシュを一枚取って丸め、自分のチームのカゴに入れて、元の列のいちばん後ろに並びます。じゃんけんで負けたり、あいこになった場合は、何もせず、元の列のいちばん後ろに戻り並びます。

続いて、次の人がスタートして、最後の人まで終わったら、カゴの中のティッシュの数を数え、数の多いチームが勝ちとなります。最後まで、声を出さずに行います。

〈時間〉　15分

〈解答〉　省略

［2022年度出題］

学習のポイント

このサーキットは難易度が高いサーキットだと思います。一つひとつの動作はクリアできる内容ですが、それらを連続した一つのこととして行うには、体力、バランス感覚などが求められます。動作をするだけも大変だと思いますが、それに加え約束も守らなければならないことを鑑みると、総合的に難易度が高い問題といえるでしょう。具体的には、線の上を歩くだけでも大変ですが、頭の上で拍手をしたり、回転をしたり、ケンパー、ジャンプなど、様々な運動が盛り込まれています。このような内容を一連のサーキット形式でやらせると、お子さまのバランス力、運動能力的なことは差がはっきりと分かれるでしょう。その上で指示を聞き、実行しなければならないことから、難しい問題と位置づけられます。先ずは全ての動作を全力でできる体力を身につけましょう。

【おすすめ問題集】
Ｊｒ・ウォッチャー28「運動」、29「行動観察」

問題26　分野：運動（模倣運動）

〈準備〉　なし

〈問題〉　**この問題の絵はありません。**
スクリーンに映し出されたお手本を見ながら、音楽に合わせ、模倣運動をする。
ただし、徐々にスピードが速くなる。
・膝の曲げ伸ばし
・上体前曲げ、後ろ反らし、
・両足でジャンプ、クーパー、ケンパー、ケンケンパー
・足じゃんけん
・両手の指折り（親指から折り始め、小指まで折ったら、小指から立ち上げる）

〈時間〉　5分

〈解答〉　省略

[2022年度出題]

学習のポイント

特徴としては徐々にスピードが速くなることです。ですから、それぞれの動作、行う順番をしっかりと理解していないと、スピードが上がってきたときに対応できなくなってしまいます。対応するためには、最初の段階で内容をしっかりと把握しなければなりません。このような問題の場合、積極的に取り組むことが大切になります。観て対応していると、スピードが上がってきたときに対応できなくなります。このような模倣体操の問題の場合、内容を理解して積極的にできているかということも大切な観点の一つとなっています。ですから、模倣する内容を理解して対応する力が求められます。その上で積極的に取り組むこと、約束を守ることが必要です。そして何より大切なことは、楽しんで行うことです。試験だからと結果ばかりを意識して行うのではなく、楽しんで取り組むことを最初に教えてあげると良いでしょう。

【おすすめ問題集】
　Ｊｒ・ウォッチャー28「運動」

問題27　分野：面接

〈準備〉　なし

〈問題〉　**この問題の絵はありません。**

【本人へ】
・お名前と年齢を教えてください。
・生年月日を教えてください。
・住所を教えてください。
・この学校の名前を知っていますか。
・この学校に来たことがありますか。
・今日は、どのようにして、ここまで来たか、お話してください。
・あなたの家から一番近い駅は、何線の何という駅ですか。
・その駅までは、どうやって行きますか。

【父親へ】
・本校を選ばれた理由をお話ください。
・本校に来校されたときの印象をお話ください。
・本校以外に何校くらい受験されていらっしゃいますか。
・お父様自身は、中学校受験のご経験がありますか。
・お子さんの長所・短所を教えてください。
・普段のお子さんの様子をお話ください。

【母親へ】
・本校へは、どの程度足を運んでいただいていますか。
・参加された行事で、印象に残っているものがあればお話しください。
・お子さんの幼稚園での様子をお話ください。
・子育てで一番大切にしていることは何ですか。
・将来のお子さんの夢は何ですか。
・健康面で気を付けていることは何ですか。

〈時間〉　適宜

〈解答〉　省略

［2022年度出題］

学習のポイント

面接の内容ですが、決まった質問が全ての人にされている形式ではなく、人によって質問内容が変わります。このような学校の対策としては、個々の質問を観ていくのではなく、質問されている内容を大きな項目に分類して対策を採ります。当校の場合、日常生活に関する質問がされていますが、このような場合、実際にしていないと回答できません。例え回答したとしても、態度などで実際にしているのか否かはわかります。実は、面接テストで質問されている内容は、学校からのメッセージとして受け取ることができます。質問内容については、「このようなことをしてきてください。（してください）」と言い換えることができます。ここまで掘り下げて対策を採ることで、よりよい受験対策と言えると思います。面接自体は特に難しい内容ではなく、普段しているか否かで結果が別れる内容と言えるでしょう。

【おすすめ問題集】
新 小学校受験の入試面接Q＆A、入試面接最強マニュアル、面接テスト問題集

問題28　分野：言語

〈準 備〉　鉛筆

〈問 題〉　たくさんの絵があります。１番左の「木」の絵を見てください。「木」から始まって、１つずつ音の数が増えていくように、１番右の「アスパラガス」まで絵と絵を線で結びましょう。声を出さずにやりましょう。

〈時 間〉　１分

〈解 答〉　下図参照

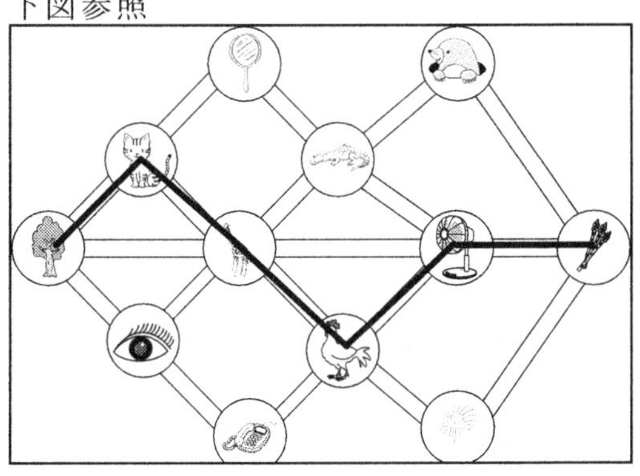

［2021年度出題］

学習のポイント

当校の試験問題は、毎年出題傾向が変わります。前年に出なかったタイプの問題が２～３割を占めるので、さまざまなタイプの問題をよく練習しておきましょう。言語分野の問題は毎年出題されます。絵に描かれているものは身近なものばかりで、名前がわからないものはないと思われます。注意したいのは、問題の指示です。「１つずつ音の数が増えていくように」絵と絵を線で結ぶ、という指示の意味が、「き→ねこ→きりん→にわとり→……」というふうに、名前の音の数が１→２→３→……となるようにたどることだとわかれば、あとはていねいに線を引いていくだけです。迷路のように複雑に枝わかれし、幅の狭い道を鉛筆でたどりますから、線がぶれないように、ていねいに書いていきましょう。

【おすすめ問題集】

Ｊｒ・ウォッチャー17「言葉の音遊び」、18「いろいろな言葉」、
60「言葉の音（おん）」

問題29　分野：図形（展開）

〈準 備〉　鉛筆

〈問 題〉　絵の描いてある箱があります。この箱を広げると、右の３つの中のどれになりますか。合っているものに○をつけてください。絵の向きにも注意して考えましょう。問題は３つあります。３つともやりましょう。

〈時 間〉　各30秒

〈解 答〉　①右端　②真ん中　③右端

［2021年度出題］

学習のポイント

サイコロの正しい展開図を選ぶ問題です。面に描かれた模様同士の位置関係だけでなく、模様の向きもよく考えて選びましょう。このことは問題文にも書かれていますから、学校側が重視している点だということがわかります。笑顔マークの向きや三日月の向きを、頭の中で角度を変えてイメージできるようにしておきましょう。どうしてもイメージできない時は、紙を切り抜いて実際に作ってみてもかまいません。大切なことは、実際の紙で練習していくうちに、頭の中で予測したりイメージしたりできるようになることです。頭の中でサイコロを動かして、切り開く方向によって模様の向きがどう変わるのか、よく考えて選びましょう。

【おすすめ問題集】
Ｊｒ・ウォッチャー５「回転・展開」、46「回転図形」

問題30　分野：行動観察

〈準 備〉　鉛筆

〈問 題〉　２人で縄を持って、引っ張ります。結び目ができるもの全部に○をつけてください。

〈時 間〉　適宜

〈解 答〉　②と③（右上と左下）

［2021年度出題］

学習のポイント

絡まっているひもの両端を引っ張ると、結び目ができるかどうかを問う問題です。結び目はひもがどうなっている時にできるのか、日頃からよく見ていればそんなに難しくありません。頭の中でひもを引っ張り、まっすぐに伸ばした時に絡まっているところがあるかどうか、ていねいにイメージしてみましょう。重なっていても、結び目になる重なり方と結び目にはならない重なり方があります。よく見分けて考えましょう。

【おすすめ問題集】
Ｊｒ・ウォッチャー31「推理思考」

問題31　推理（系列）

〈準備〉　鉛筆

〈問題〉　白丸と黒丸が、あるきまりで数を変えながら動いています。空いているお部屋に合う絵はどれですか。下の二重四角の中から選んで、○をつけてください。問題は３つあります。３つともやりましょう。

〈時間〉　50秒

〈解答〉　①左から２番目　②右から２番目　③右から２番目

［2021年度出題］

学習のポイント

●と○の数を数えて、数の増減の規則を考える問題です。この問題で注意したいのは、●と○が別々の規則にしたがって増減しているということです。それぞれのパターンを考えた上で、空欄に当てはまる数を考え、答えを選びましょう。問題文に「動きながら」とありますが、ここで動きのパターンと勘違いしてしまうと正解を導けません。問題文をよく聞いて、聞かれている条件は何か、正しく理解して答えましょう。

【おすすめ問題集】
Ｊｒ・ウォッチャー31「推理思考」、６「系列」

家庭学習のコツ③　効果的な学習方法～問題集を通読する

過去問題集を始めるにあたり、いきなり問題に取り組んではいませんか？　それでは本書を有効活用しているとは言えません。まず、保護者の方が、すべてを一通り読み、当校の傾向、ポイント、問題のアドバイスを頭に入れてください。そうすることにより、保護者の方の指導力がアップします。また、日常生活のさまざまなことから、保護者の方自身が「作問」することができるようになっていきます。

問題32 分野：記憶（お話の記憶）

〈準備〉 鉛筆

〈問題〉 かずとくんとひろこさんは、かずとくんの家で遊んでいます。かずとくんは、2階の窓から見える景色を絵に描きました。かずとくんのお家は海の近くにあるので、窓から海がよく見えます。遠くに島と、そのそばにヨットが見えました。空はよく晴れていて、3羽の鳥が飛んでいます。「わあ、かずとくん、上手ね」とひろこさんが褒めてくれました。
その後、かずとくんとひろこさんは絵本を読むことにしました。かずとくんは「赤ずきん」、ひろこさんは「さるかに合戦」です。でも、絵本を読んでいるうちに、かずとくんは眠ってしまいました。夢の中で、かずとくんは、おにぎりをいっぱい食べて、サッカーをして、それからジャングルジムで遊びました。ジャングルジムから降りてケーキを食べようとしたところで、ひろこさんに起こされました。「かずとくん、起きて。おやつだって」ひろこさんといっしょにテーブルに着くと、お母さんがケーキを出してくれました。「あっ！」かずとくんがびっくりしたことには、そのケーキは、夢で見たのとまったく同じケーキでした。うれしくなったかずとくんは、にこにこしながらひろこさんといっしょにケーキを食べました。

①上のお部屋を見てください。かずとくんが描いた絵に○をつけてください。
②真ん中のお部屋を見てください。かずとくんが読んだ絵本に×、ひろこさんが読んだ絵本に○をつけてください。
③下のお部屋を見てください。かずとくんの夢の中に出てこなかったことに×をつけてください。

〈時間〉 5分

〈解答〉 下図参照

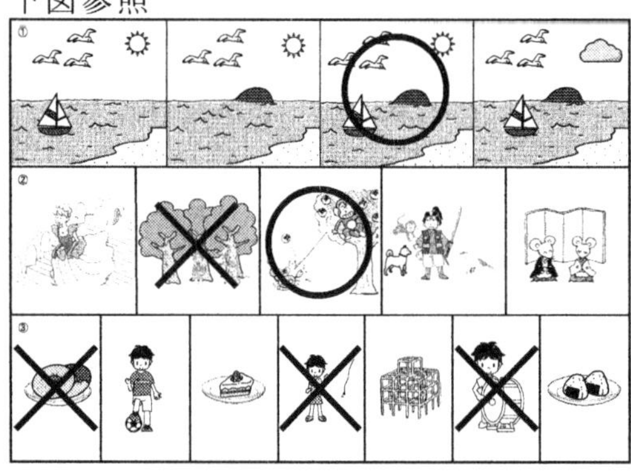

［2020年度出題］

学習のポイント

前年度は姿を消したお話の記憶がまた出題されました。400～600字と決して長くはなく、内容もシンプルなものです。聞かれている事柄も、お話をよく聞いていれば自然に答えられるようなものばかりです。ストーリーを追いながら場面を想像していくと、出てきたものをイメージの中で記憶することができます。また、誰がどんなことをしたのか、どんなことが起きたのか、しっかりとつかみながら聞くようにすることも大切です。これらは物語を理解する上でもっとも基本的なことですから、確実にできるようにしましょう。そのためには、読み聞かせの後に「出てきた人は誰？」「どこにいたの？」「何をしていた？」など、お話の内容についてお子さまといっしょに振り返ってみるとよいでしょう。お話の記憶は決して難しいことではなく、楽しみながら学べる分野です。日々の読み聞かせの中にいくつか質問を追加するだけでも、ぐっと力が付きます。ぜひ取り組んでみましょう。

【おすすめ問題集】

1話5分の読み聞かせお話集①・②、お話の記憶問題集 初級編・中級編、
Ｊｒ・ウォッチャー19「お話の記憶」

問題33　分野：推理（比較）

〈準 備〉　鉛筆

〈問 題〉　水槽の中におもちゃを２つずつ入れると、それぞれ下の絵のようになりました。
１番大きいおもちゃはどれですか。上の絵に○をつけてください。

〈時 間〉　50秒

〈解 答〉　ヒトデ（真ん中）

［2021年度出題］

学習のポイント

おもちゃを沈めた時の水面の高さで大きさを比べます。大きいおもちゃほど水に沈めた時により高く水面が上がる、というのは、水遊びなどで気付いているお子さまもいるかもしれませんが、アルキメデスの原理の働きです。解く時は３つの水槽のうち２つの水槽を選んで注目します。片方のおもちゃはどちらの水槽にも入っていますから、このおもちゃの大きさの分は水面の高さの差には影響しません。ですから水面が高い方の水槽に入っているもう１つのおもちゃは、水面が低い方の水槽に入っているもう１つのおもちゃよりも大きいということになります。これを繰り返して比べていけば、１番大きいおもちゃがどれかがわかります。この考え方は小学算数の消去算、中学数学の連立方程式の根底にある考え方と同じで、数学や理科の基本的なセンスや観察力、思考力の萌芽を見たいという当校の姿勢がよくわかると思います。幅広い分野からの出題も、身の周りのことに興味をもってよく観察するお子さまに来てほしいという学校の姿勢の表れだと考えられます。類題をよく練習するだけでなく、日頃からいろいろな物事に興味を持たせるようにしましょう。

【おすすめ問題集】

Ｊｒ・ウォッチャー15「比較」、31「推理思考」、58「比較②」

問題34　分野：図形（四方からの観察）

〈準備〉　鉛筆

〈問題〉
上のお部屋を見てください。イヌは左から、ネコは右から、鳥は上から積み木を見ていましたが、今はくだものの箱で隠れていて見えません。それぞれ動物からは、真ん中のお部屋のように見えました。では、積み木を手前の矢印の方から見ると、どのように見えますか。それぞれ下から選んで○を付けてください。

〈時間〉　1分

〈解答〉　下図参照

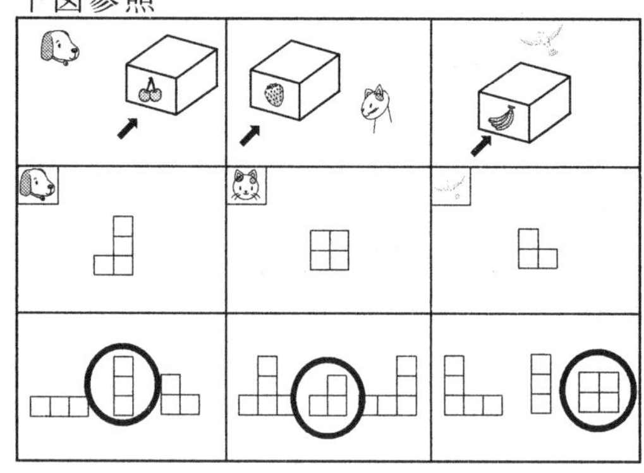

［2021年度出題］

学習のポイント

積み木が違う角度から見るとどのように見えるかを問う問題です。与えられた平面図から立体を頭の中で想像して組み立てる、空間的な認識・推理の力を見ています。この問題のポイントは、積み木は隠されてしまっていて、どんな形かわからないというところです。与えられた図形と答えの選択肢から、積み木の形と別の方向からの見え方の２つを推理しなくてはなりません。苦手なお子さまは、まずは普通の四方からの観察の問題で練習を積み重ね、違う角度からどのように見えるか推理することに慣れましょう。それから、今度は見え方から実際の積み木を積んで積み木の形を再現してみると、この種の問題がわかるようになります。四方からの観察の問題は当校だけでなく多くの学校で出題されますし、立体図形のセンスの基礎になりますので、練習して感覚的につかめるようになることは先のお勉強の土台にもなります。

【おすすめ問題集】

Ｊｒ・ウオッチャー11「いろいろな仲間」、12「日常生活」、34「季節」

問題35　分野：図形（合成）

〈準備〉　鉛筆

〈問題〉　見本の三角タイルを使って、下の絵のような形を作りました。それぞれ何枚の三角タイルでできていますか。その数だけ右のお部屋に○を書いてください。

〈時間〉　各30秒

〈解答〉　①○：４　②○：６　③○：７

［2021年度出題］

学習のポイント

図形の合成の問題は、さまざまな学校で出題される普遍的なジャンルです。最初は大きさや図形の向きを頭の中で変えて境目の線を見つけることに戸惑うお子さまもいらっしゃることでしょう。けれども、図形のセンスは、よく練習することで育てることができます。図形の合成の問題で言えば、タングラムパズルで遊ぶことで図形の分割線を見抜くことができるようになります。すでにある図形を自分で作ってみるにはどのような組み合わせがよいか、いろいろ試して楽しむことで、図形の合成のセンスが磨かれるのです。タングラムに限らず、生まれつきのセンスがものを言うと考えられがちな図形の問題ですが、実際には図形パズルや問題練習で育成できる力です。ていねいに根気よく練習を積み重ねましょう。

【おすすめ問題集】
Ｊｒ・ウォッチャー３「パズル」、９「合成」、45「図形分割」

問題36　分野：言語（言葉の音遊び）

〈準備〉　鉛筆

〈問題〉　①「ライオン」と同じ音の数のものに○をつけてください。
②「クリ」と同じ音の数のものに×をつけてください。
③「でんでんだいこ」と同じ音の数のものに△をつけてください。
④「カブトムシ」と同じ音の数のものに□をつけてください。

〈時間〉　各30秒

〈解答〉　下図参照

○：シマウマ、タケノコ、ペンギン
×：ゾウ、タコ
△：タツノオトシゴ、トライアングル
□：すべりだい、ゆきだるま

［2021年度出題］

学習のポイント

言葉の音の数が同じ言葉を探して印をつける問題です。使われている言葉は年齢相応の語彙であり、決して難しい問題ではありません。制限時間が短いため、指を折って文字数を数える時間はありません。頭の中で文字数を数え、それと同じものを探します。絵を見て名前が思い浮かぶ瞬間に同時に文字数もつかむことができれば、この問題は得点源になります。絵を見せて文字数を答える文字数当てゲームなどを通じて、楽しく練習を積ませるようにしましょう。

【おすすめ問題集】
Ｊｒ・ウォッチャー17「言葉の音遊び」、18「いろいろな言葉」、
60「言葉の音（おん）」

問題37　分野：言語（しりとり）

〈準 備〉　鉛筆

〈問 題〉　上の絵をそれぞれしりとりでつなげます。印がついているお部屋には何が入りますか。下から選んで、同じ印をつけてください。

〈時 間〉　各20秒

〈解 答〉　○：カキ　×：キャベツ　△：スイカ　□：ブドウ　◎：浮き輪

［2021年度出題］

学習のポイント

オーソドックスなしりとりの問題です。注意することは、上の段と下の段は違うしりとりになっているということです。上の段は「ツクシ」でしりとりが終わり、下の段は新しいしりとりが、「カ」で終わる言葉で始まっています。ヒントのつかみ方も大切です。前の言葉の最後の音と、次の言葉の最初の音がヒントです。このようなヒントから言葉をすぐに思いつくようにするには、最初の音が同じ言葉を集める「頭音集め」や、最後の音が同じ言葉を集める「尾音集め」といった言葉遊びで言葉の音に親しんでおくことです。言葉は思いつく練習をすればするほど、それだけ速く言葉を思いつくようになります。コツコツと遊びながら力を蓄えましょう。

【おすすめ問題集】

Ｊｒ・ウォッチャー49「しりとり」

問題38　分野：言語（しりとり）

〈準 備〉　鉛筆

〈問 題〉　ここにある絵をしりとりでできるだけ長くつながるように、線を引いてください。使わないものもあります。

〈時 間〉　各20秒

〈解 答〉　下図参照

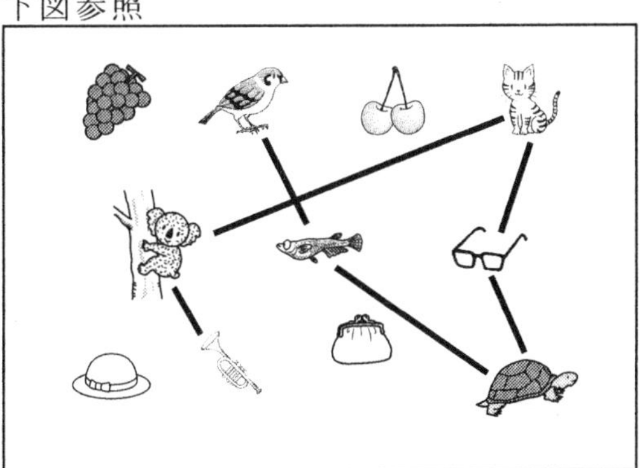

スズメ→メダカ→カメ→メガネ→ネコ→コアラ→ラッパ

［2021年度出題］

学習のポイント

しりとりの問題ですが、この問題の面白いところは、「できるだけ長くつながるように」という指定です。つまり、正解以外にもしりとりとしてつながる組み合わせが含まれているのです。それを見分けて、なるべく長くつながるように考えて線を引く必要があります。当校がこの問題で見ようとしているのは、語彙力だけでなく見通しをつける力です。問題の絵を見ると、「スズメ」の次に来る「メ」で始まる言葉は「メダカ」と「メガネ」の2つがあります。ここで「スズメ→メガネ」とつないでしまうと、「スズメ→メガネ→ネコ→コアラ→ラッパ」となり、メダカとカメが入りません。また逆に、設問を勘違いしてすべての言葉をつなごうとすると、時間を浪費して解答できなくなる恐れがあります。全体を見渡して、ほかにつなげられる言葉はないかよく考えてから線を引きましょう。

【おすすめ問題集】

Ｊｒ・ウォッチャー49「しりとり」

問題39　分野：言語（動詞）

〈準備〉　鉛筆

〈問題〉　①上のお部屋を見てください。この中で「とる」という絵に○をつけてください。
②下のお部屋を見てください。この中で「かける」という絵にすべて○をつけてください。

〈時間〉　各20秒

〈解答〉　①真ん中　②左と右

[2021年度出題]

学習のポイント

動作を表す言葉の問題です。日常生活の中でよく行われる動作が描かれていますから、言語の問題であると同時に、常識の問題でもあると考えられます。この問題の面白いところは、取り上げられている動詞が多義語であるということです。たとえば「とる」という動詞は、「写真を撮る」だけでなく、「帽子を取る（＝脱ぐ）」「魚を捕る（＝釣る）」「野菜を摂る（＝食べる）」などというように、さまざまな意味で使われます。日本語には多義語が多くあり、特に動詞の多義語は言葉遊びの材料として楽しみながら覚えたり使ったりできるものです。その動詞を使う動作にどんなものがあるか、交代で挙げていくなど、遊びを活用して語彙を広げていきましょう。多義語を使いこなすことは、言葉の感覚を育てる上でも大切なことです。

【おすすめ問題集】

Ｊｒ・ウォッチャー18「いろいろな言葉」

問題40　分野：図形（回転図形）

〈準　備〉　鉛筆

〈問　題〉　左の形を回すとどうなりますか。正しいものをそれぞれ右から選んで○をつけてください。

〈時　間〉　各20秒

〈解　答〉　①右端　②右から２番目

［2021年度出題］

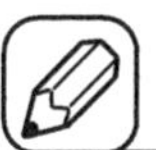

学習のポイント

当校の過去問を見ると、回転図形や重ね図形の問題は比較的出題頻度の高い分野です。今回は２種類の図形を組み合わせた形を回転させます。複数の図形を同時に回転させるタイプの問題の注意点は、全部の図形が正しく回転しているかどうかをていねいに見極めて答えを選ぶことです。頭をその角度に傾けて図形を眺めているお子さまがたまにいますが、体を動かして図形を見ることが減点対象になる学校もあります。できるだけ頭の中で図形を動かせるよう、何回も練習しましょう。

【おすすめ問題集】

Ｊｒ・ウォッチャー５「回転・展開」、８「対称」、46「回転図形」

問題1

問題2

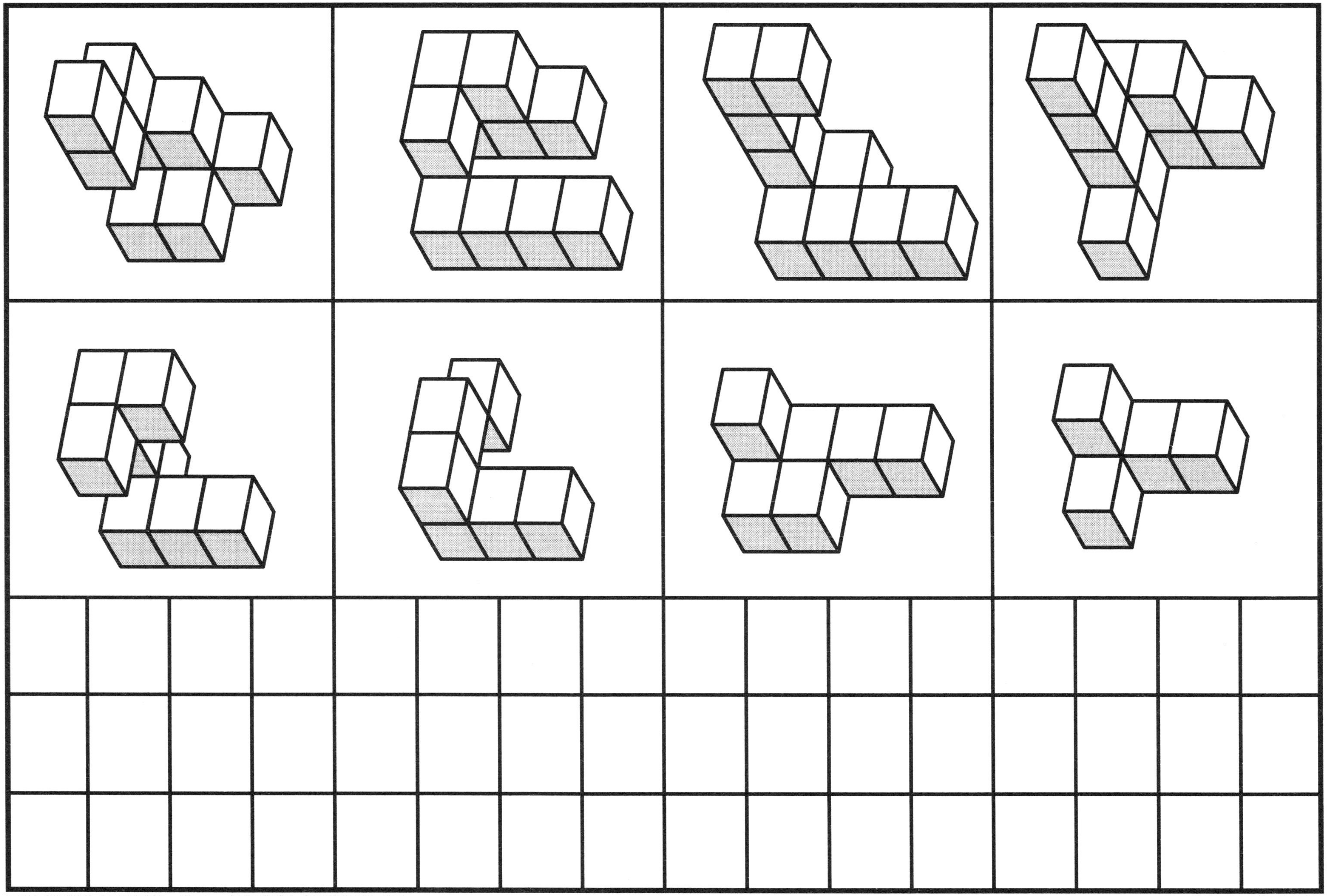

問題3

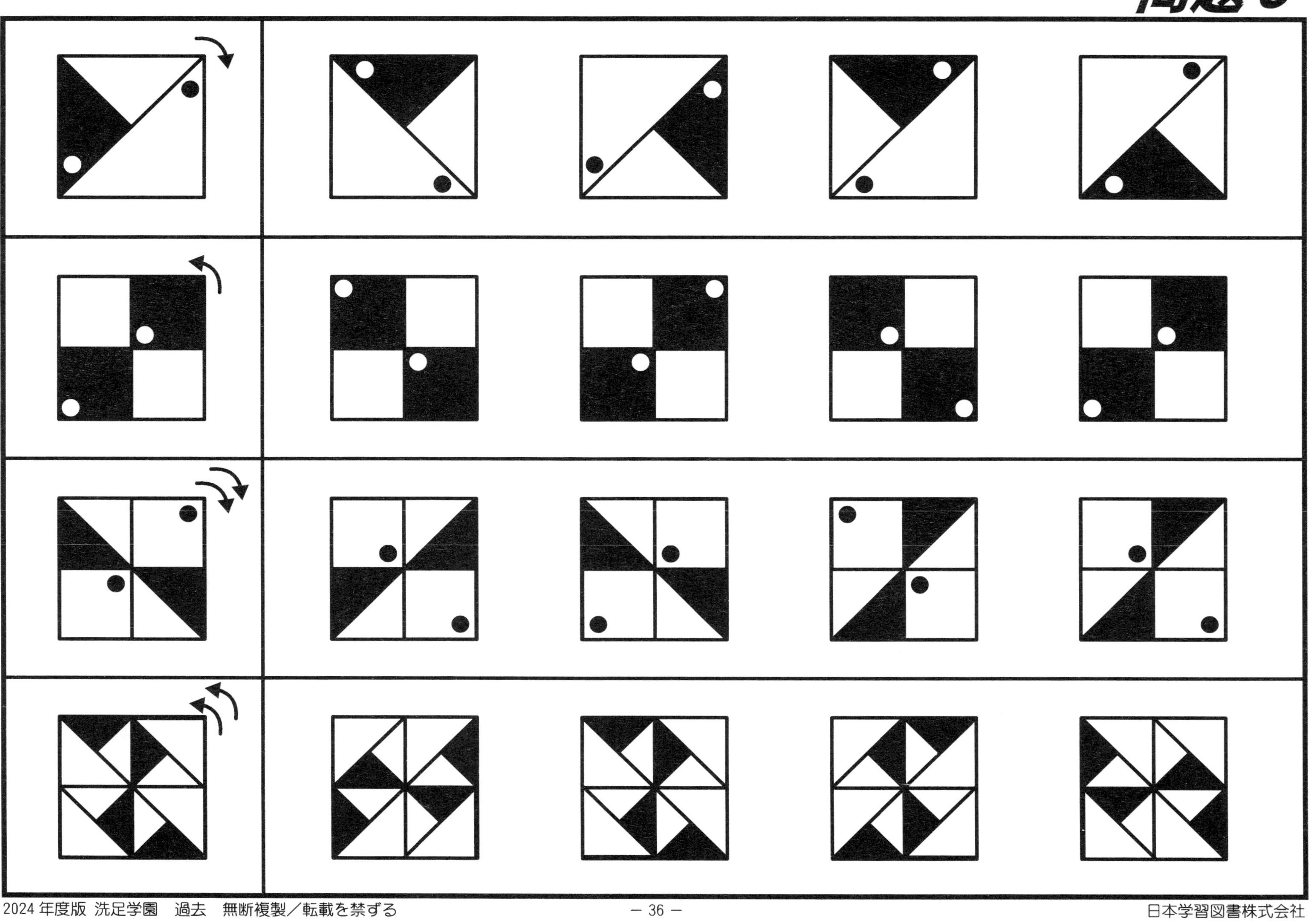

日本学習図書株式会社

問題4

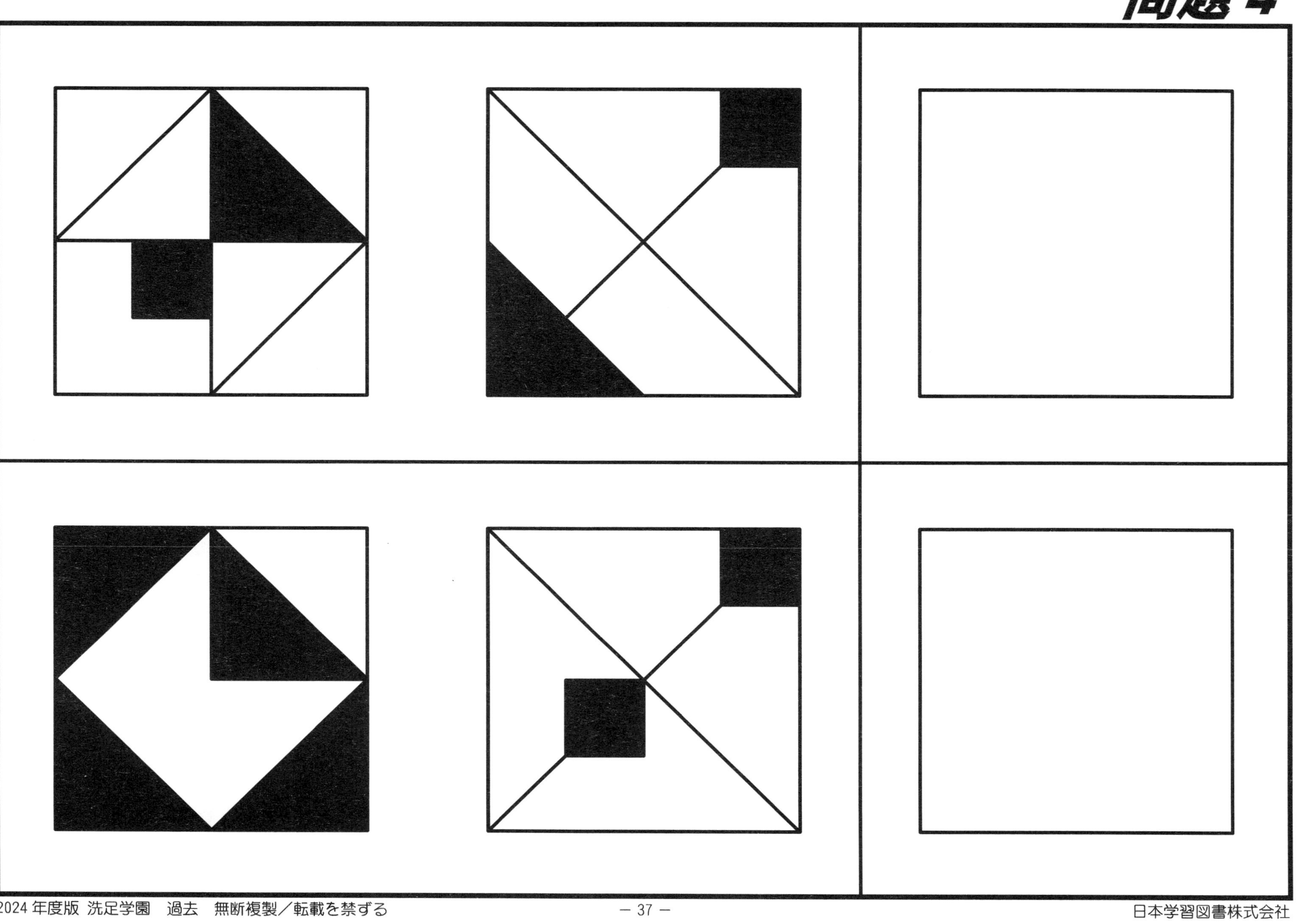

問題5

問題6

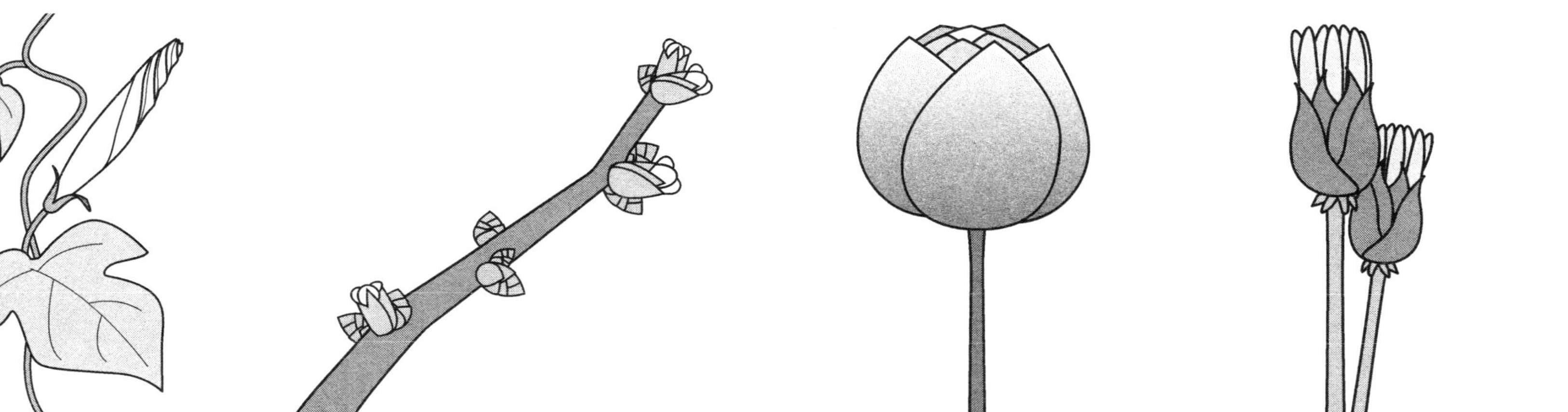

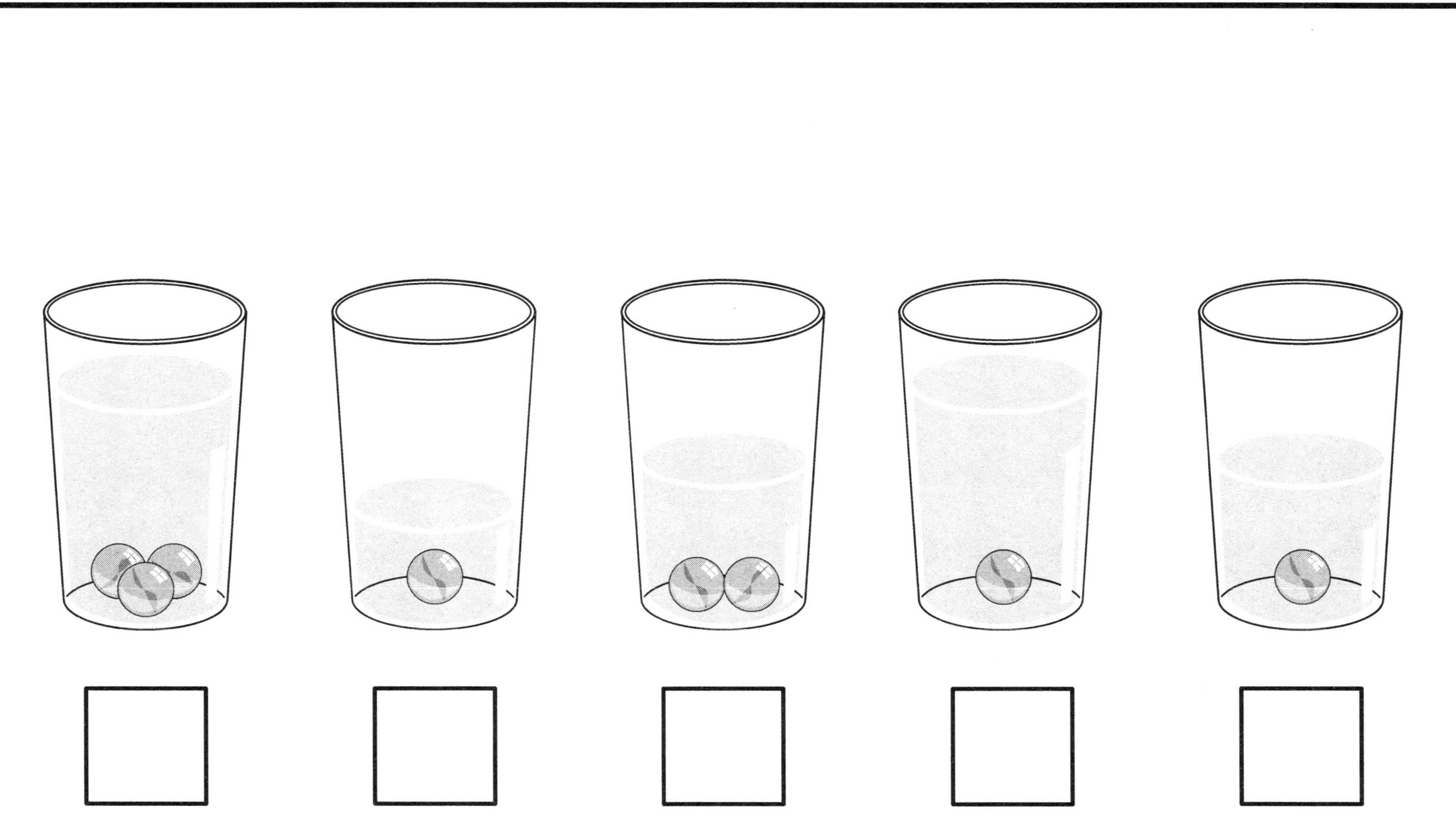

問題8

問題１０

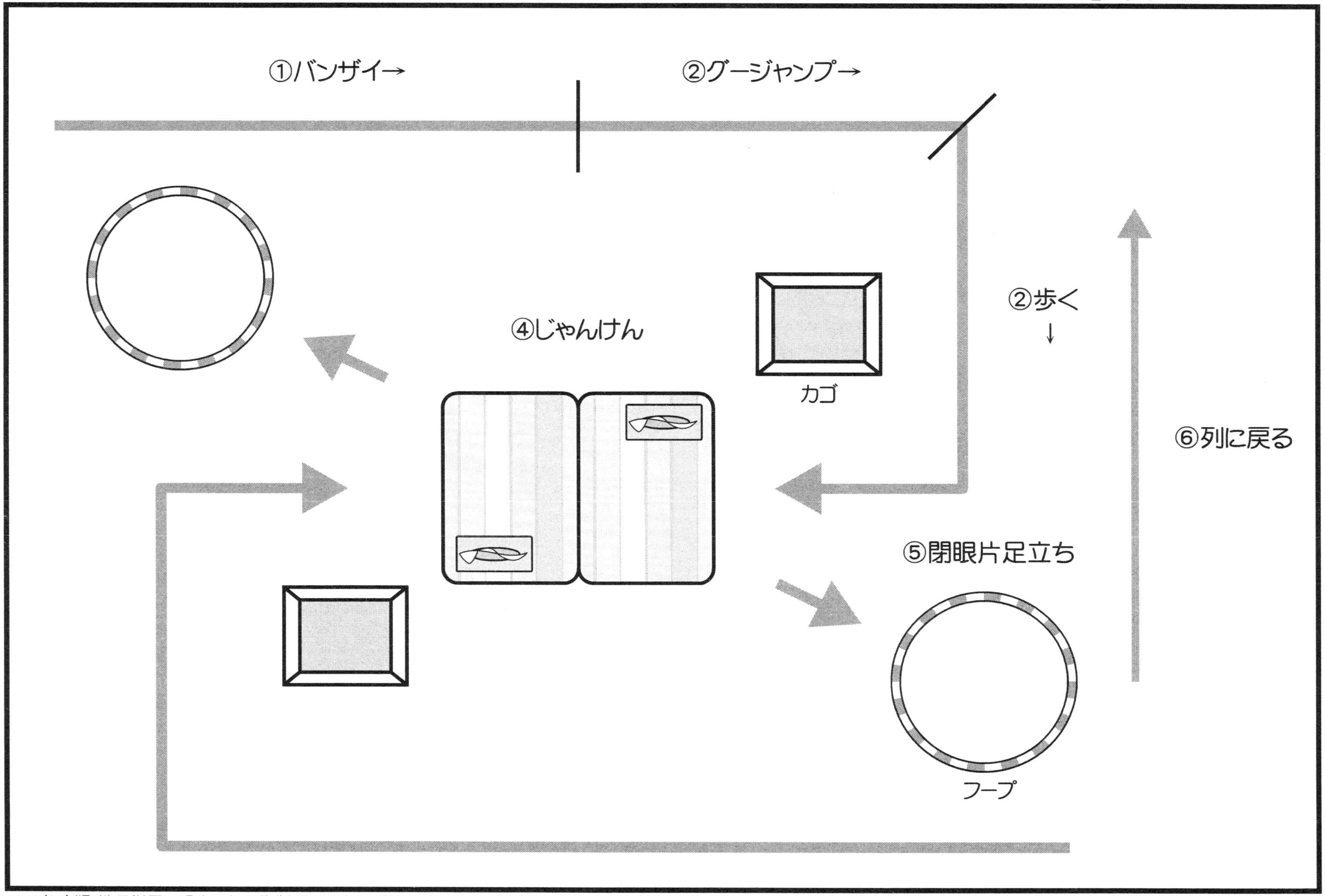

①バンザイ→

②グージャンプ→

②歩く
↓

④じゃんけん

カゴ

⑥列に戻る

⑤閉眼片足立ち

フープ

問題１２

①

②

③

④

問題13

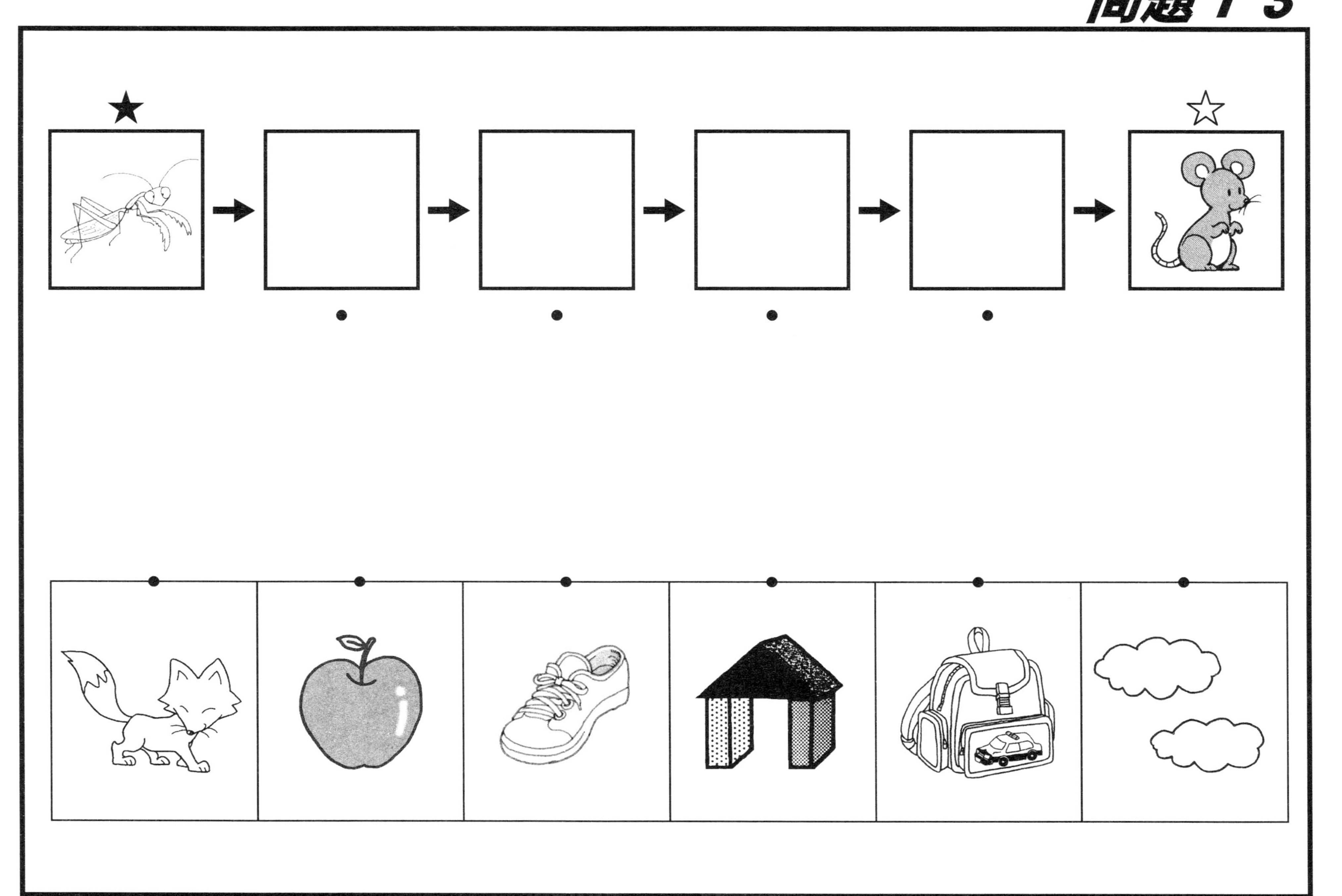

問題１４

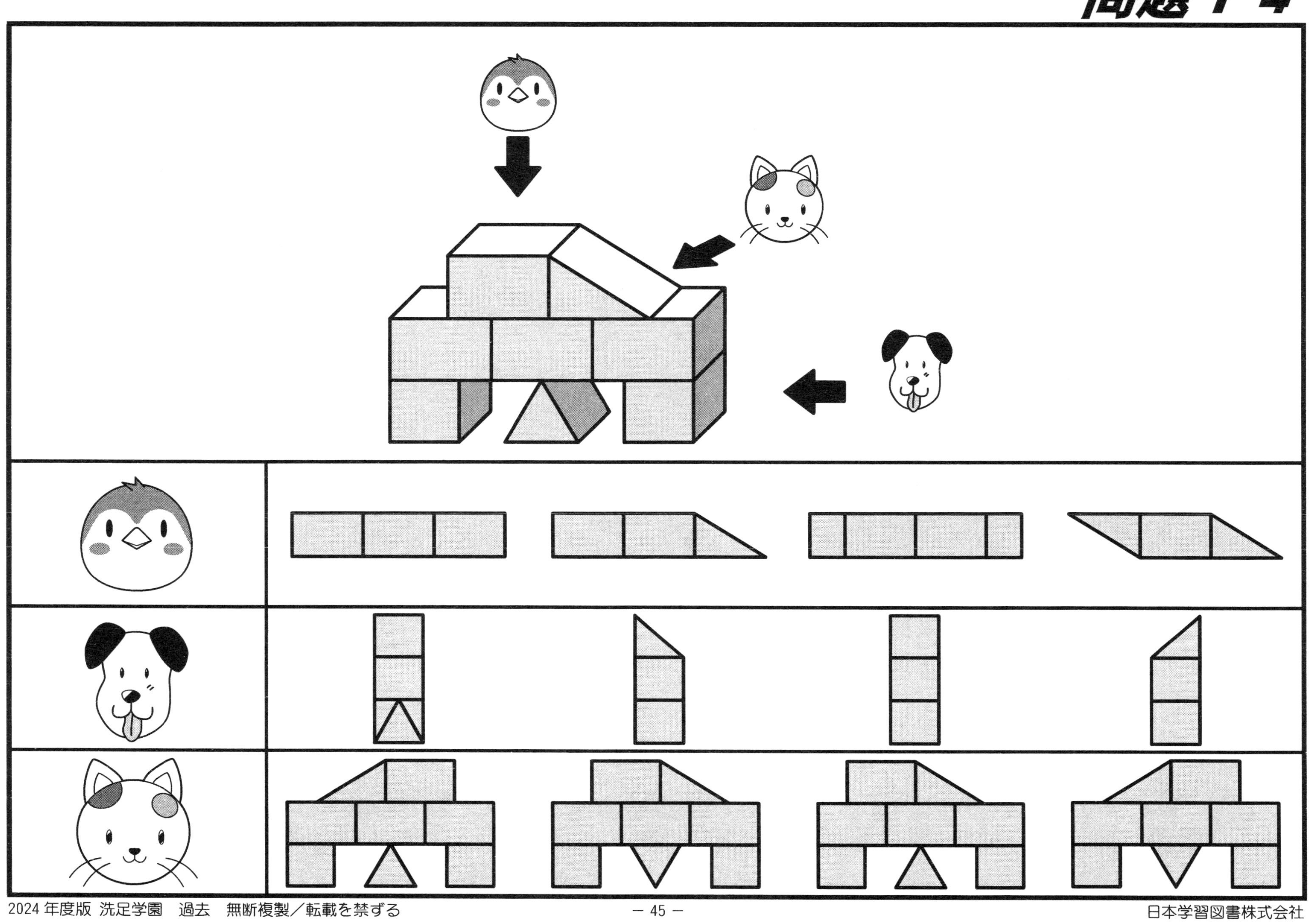

問題１５

問題１６

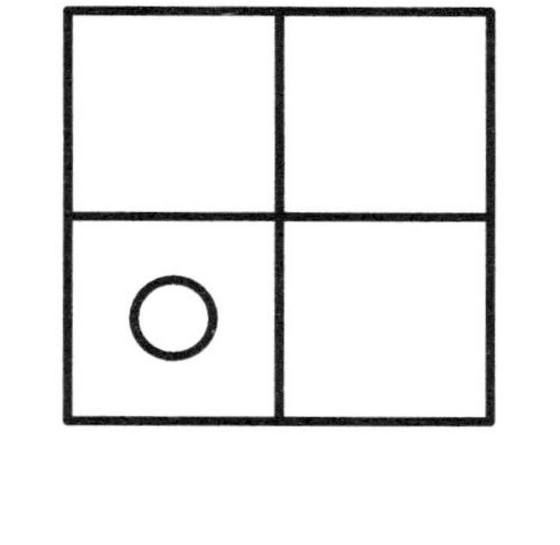
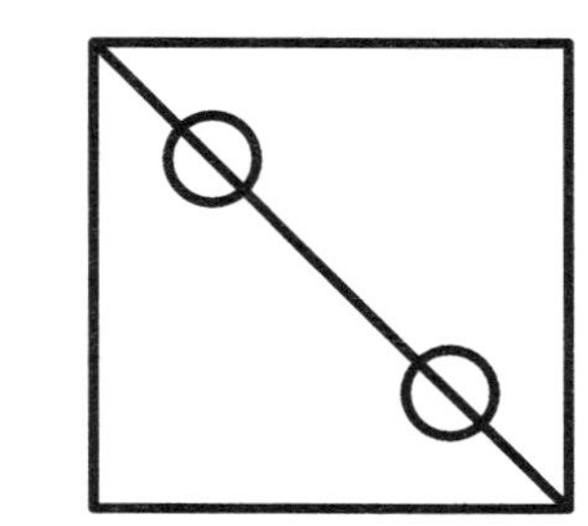
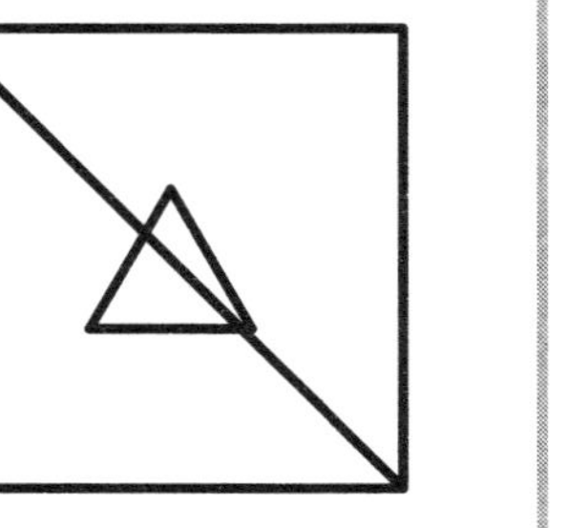

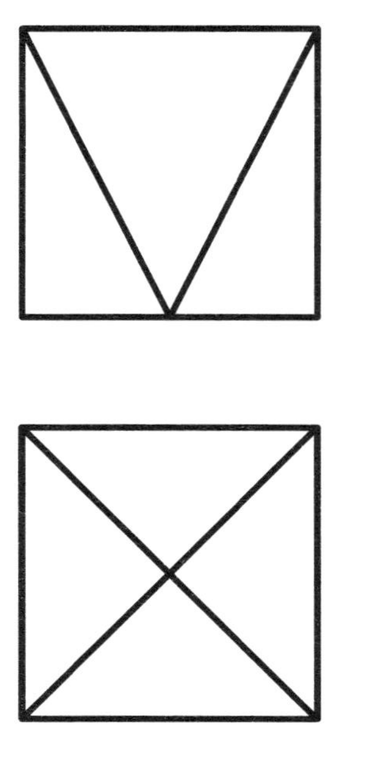
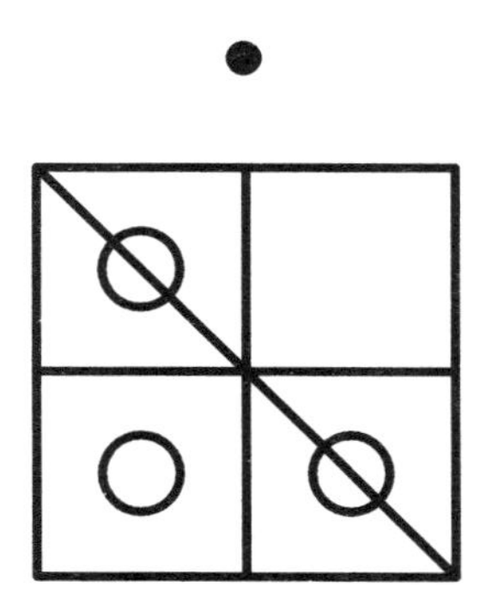
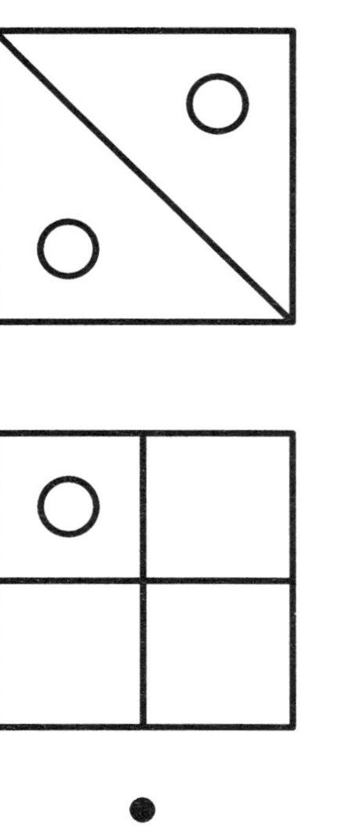
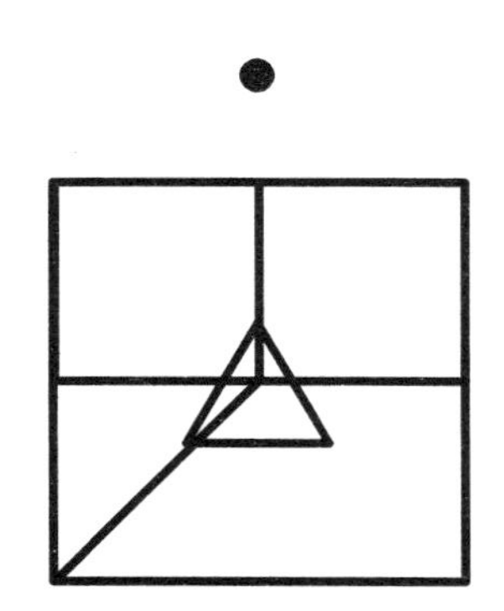
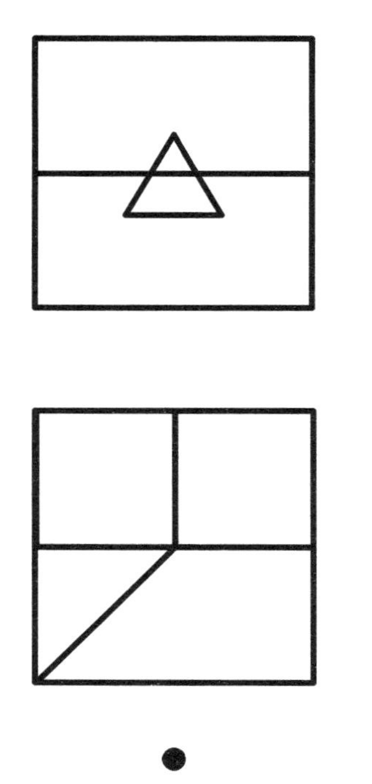
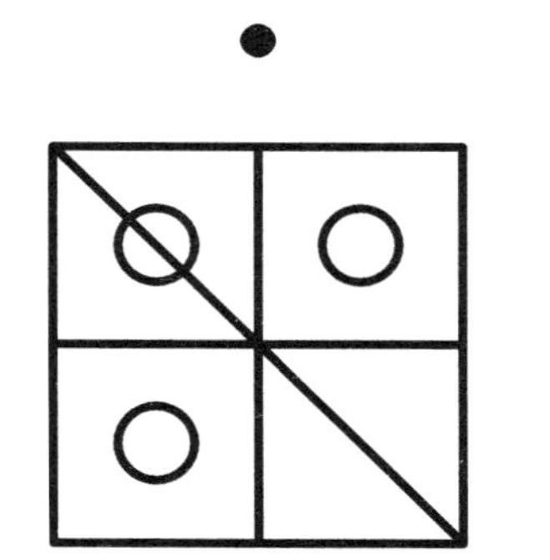

問題１７

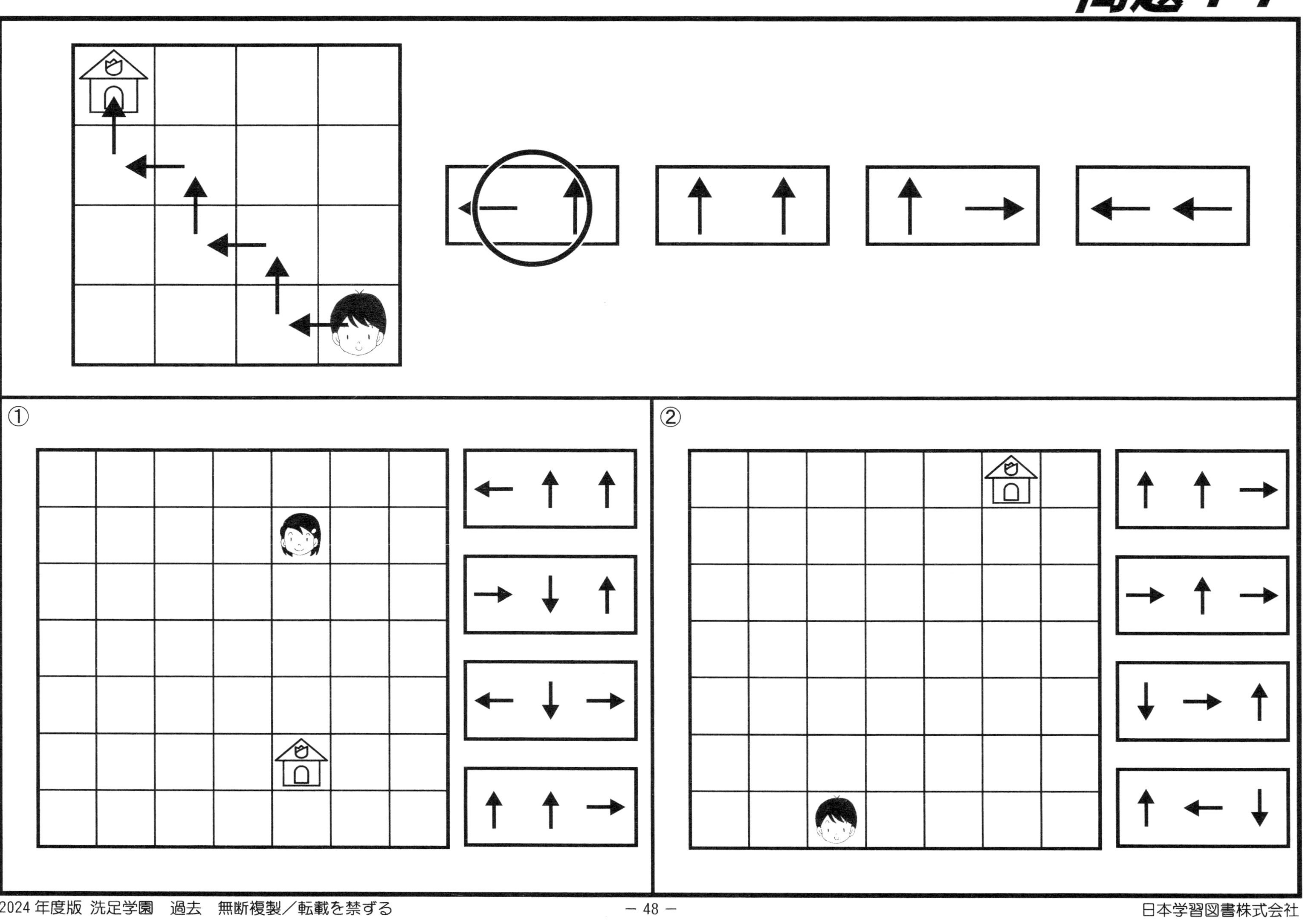

問題１８

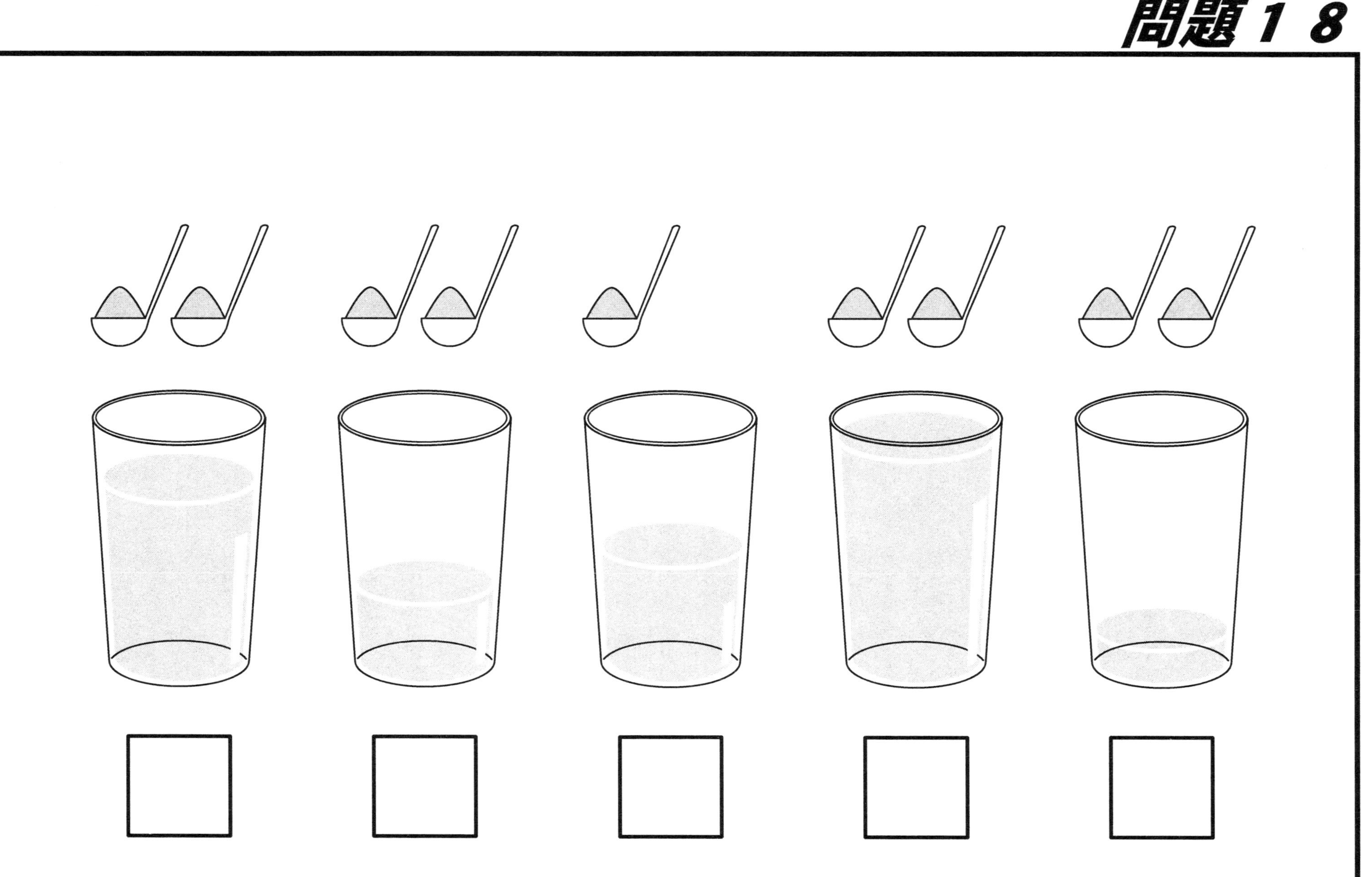

日本学習図書株式会社

問題１９

問題２０

問題２１

①

②

③

④

問題22－1

問題22－1

問題２３

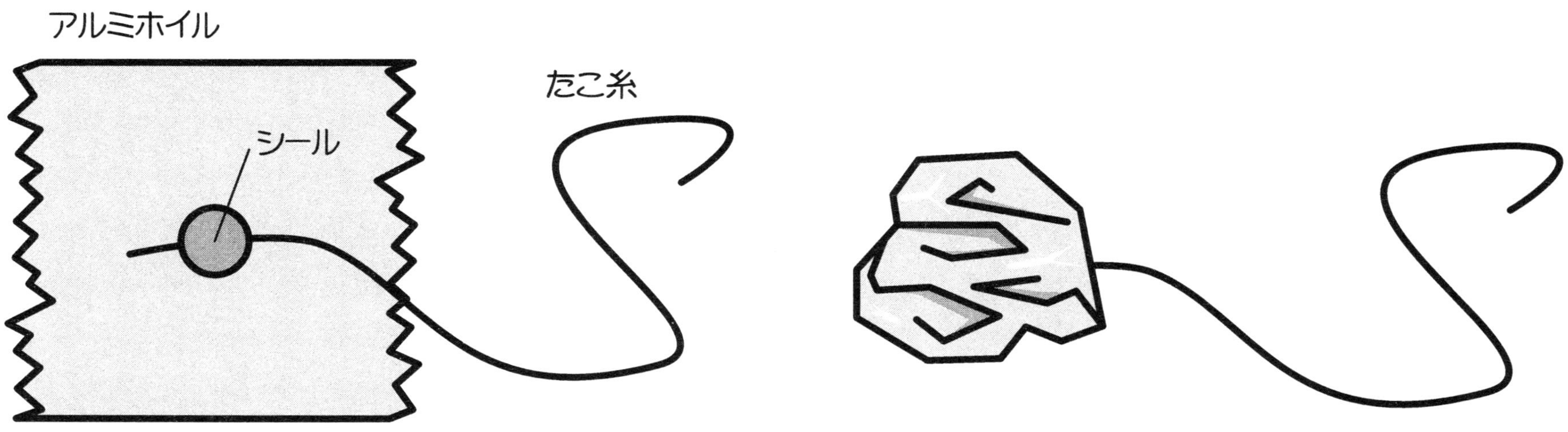

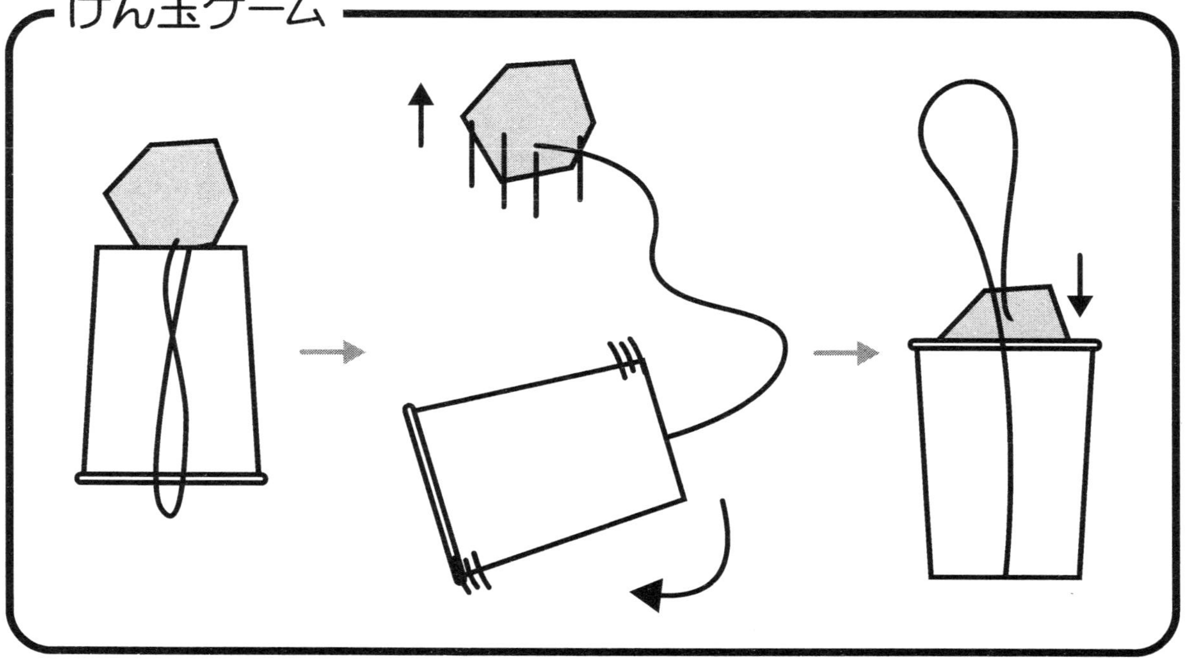

アルミホイル

シール

たこ糸

けん玉ゲーム

《完成》

問題２４

問題２５

①頭の上で拍手 →
②ケンパ ↓
③ ← 両手を水平に
④片足バランス
じゃんけん
カゴ
フープ

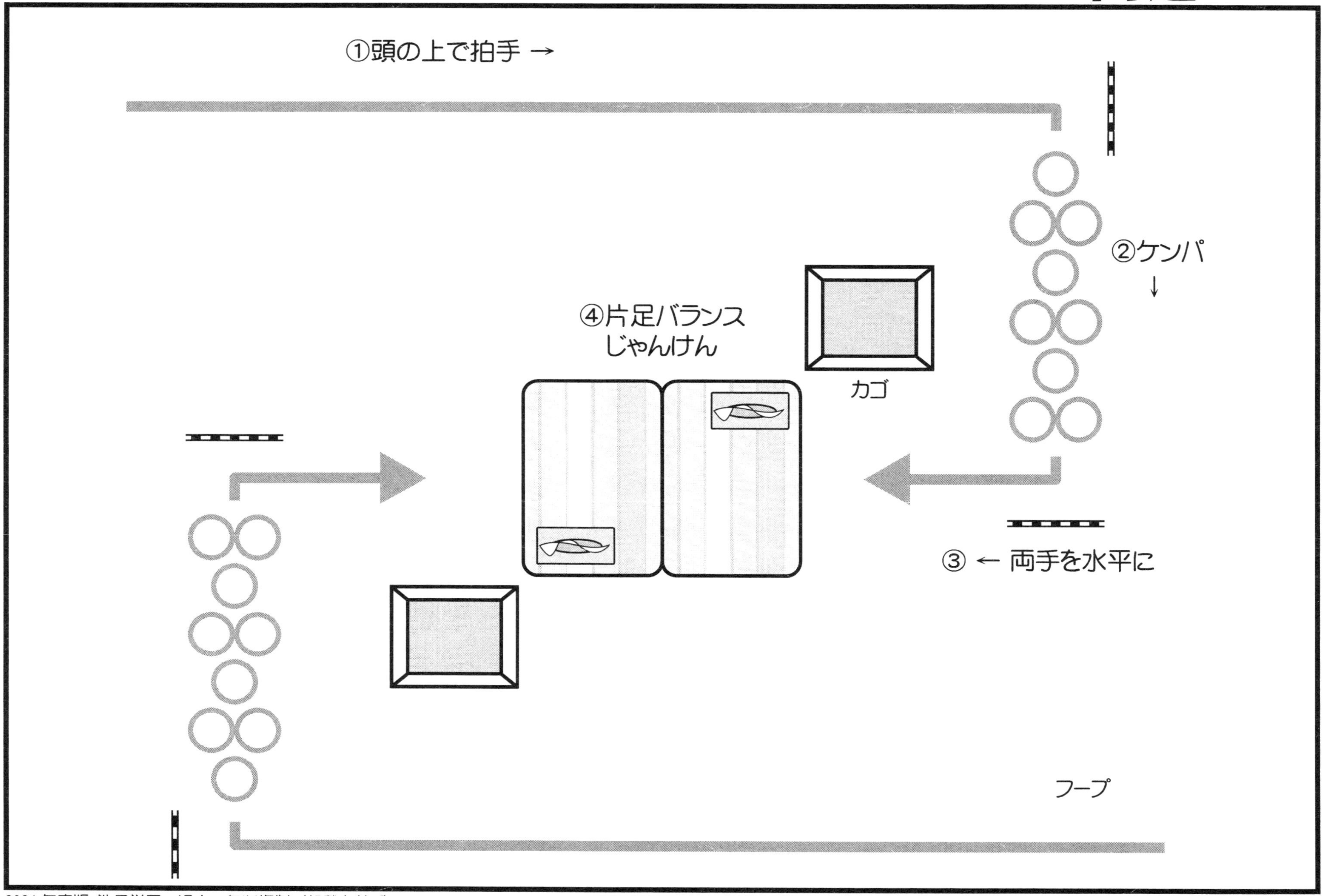

問題２８

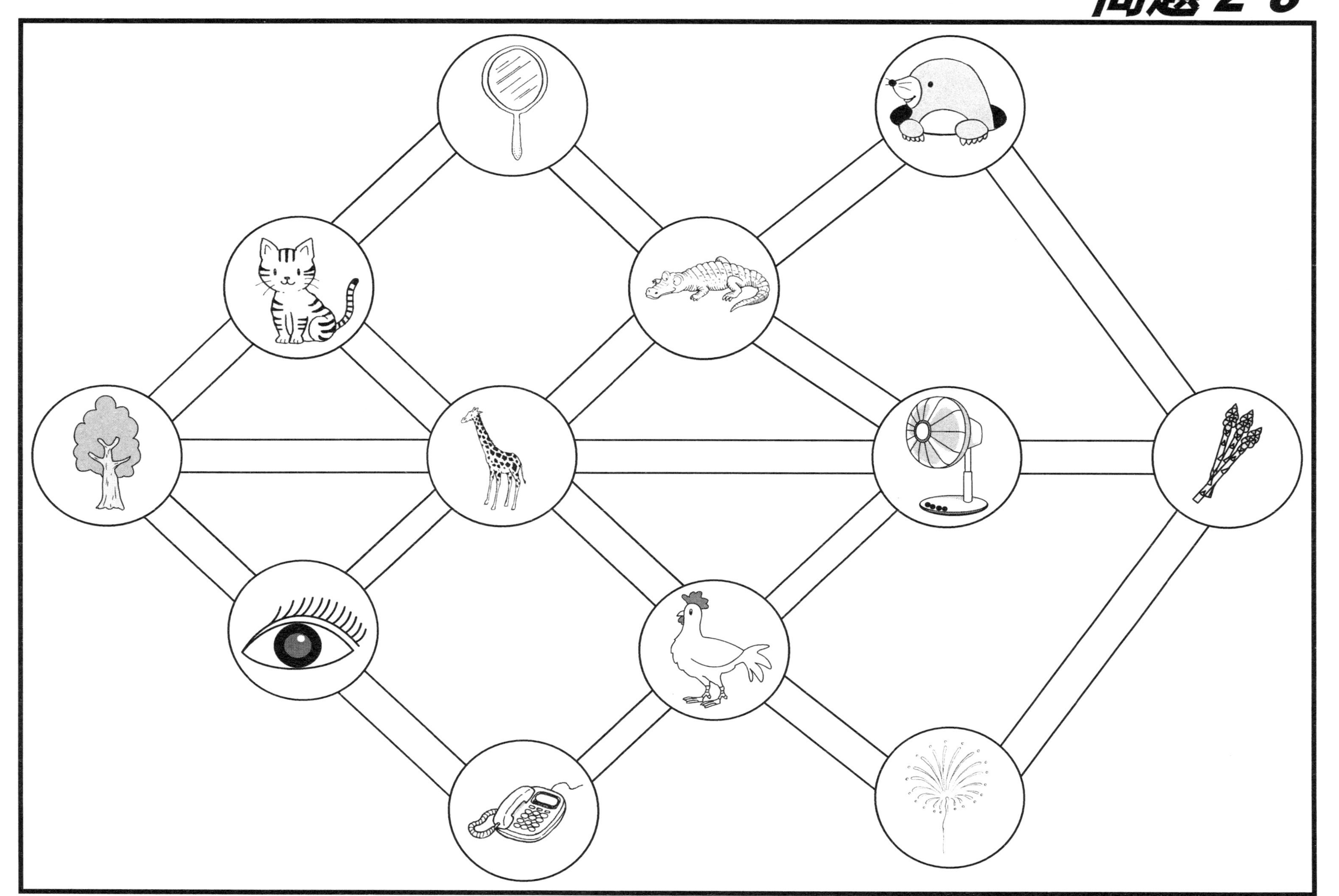

問題２９

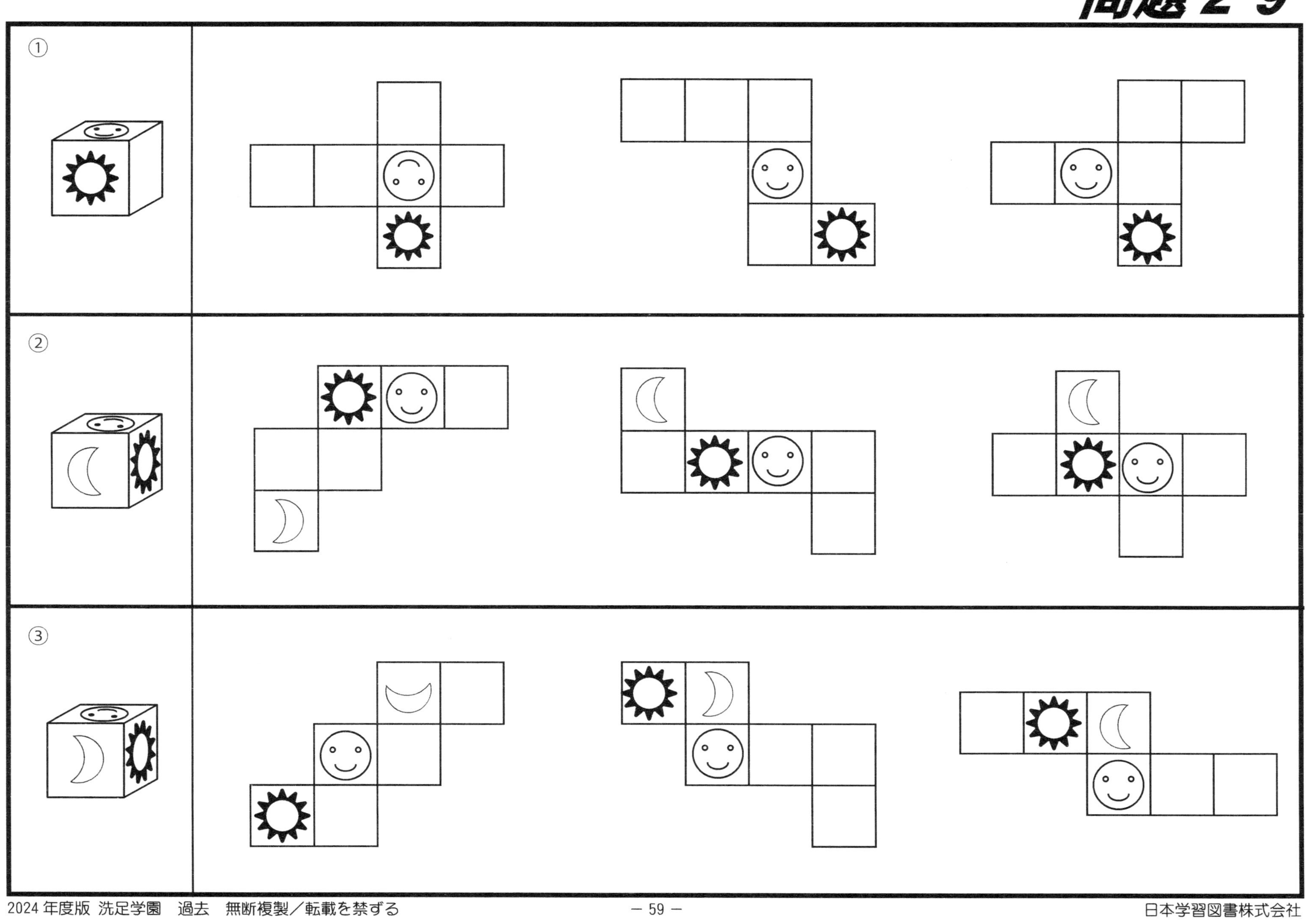

問題３０

①

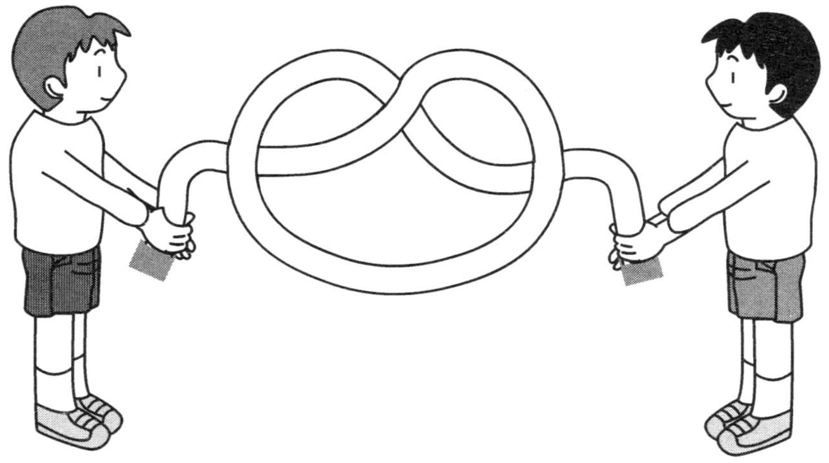

②

③

④

問題３１

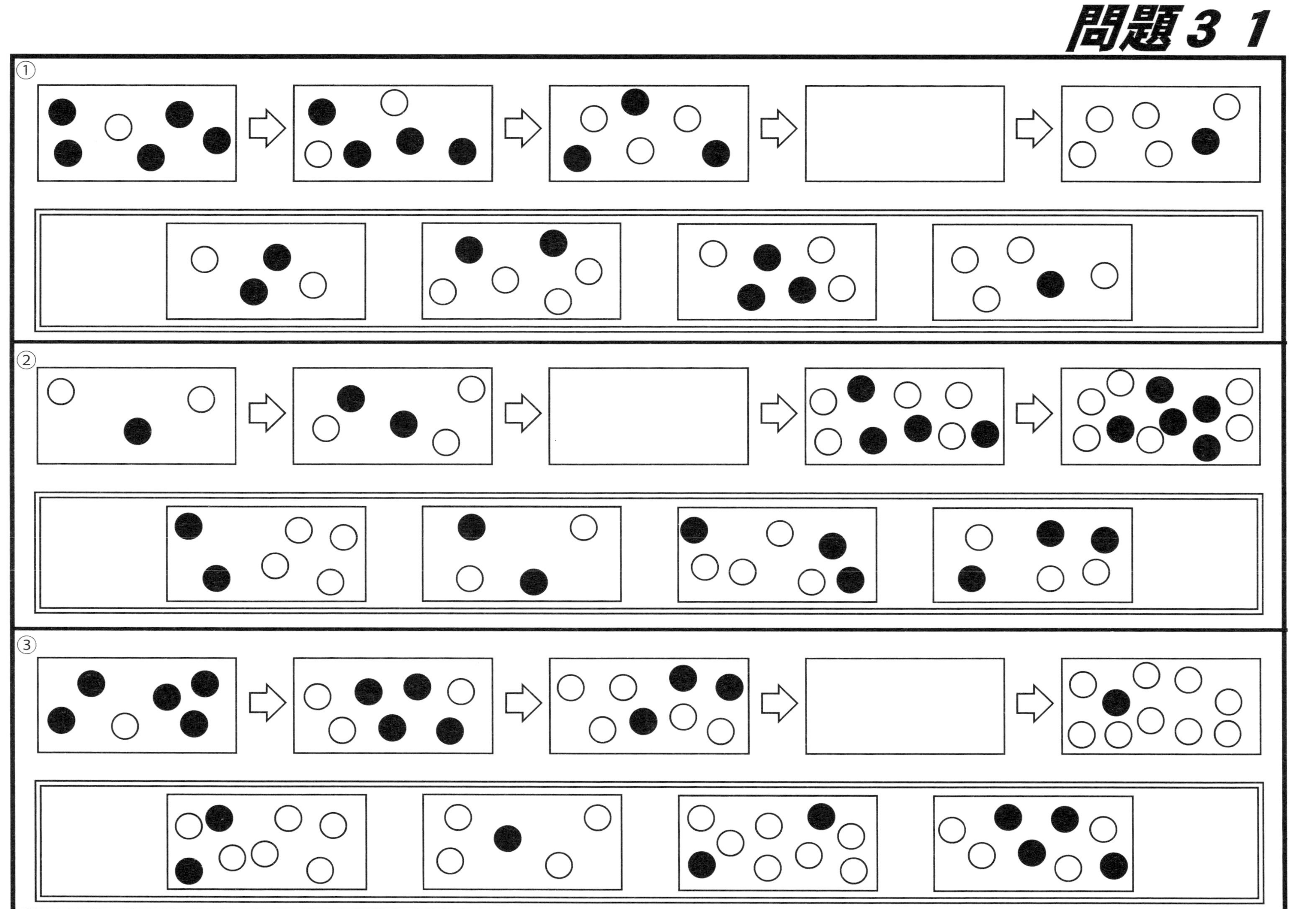

問題３２

問題33

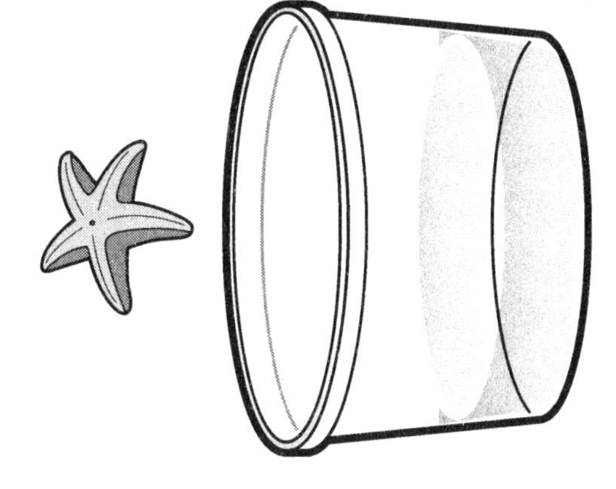

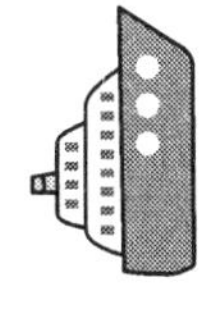

問題３４

問題３５

①

②

③

問題３６

問題３７

問題38

問題３９

問題40

①

②

図書カード1000円分プレゼント

ご記入日 令和　年　月　日

☆国・私立小学校受験アンケート☆

※可能な範囲でご記入下さい。選択肢は○で囲んで下さい。

〈小学校名〉＿＿＿＿＿＿　〈お子さまの性別〉男・女　〈誕生月〉＿＿月

〈その他の受験校〉（複数回答可）＿＿＿＿＿＿

〈受験日〉①：＿月＿日〈時間〉＿時＿分～＿時＿分

②：＿月＿日〈時間〉＿時＿分～＿時＿分

〈受験者数〉男女計＿名（男子＿名　女子＿名）

〈お子さまの服装〉＿＿＿＿＿＿

〈入試全体の流れ〉（記入例）準備体操→行動観察→ペーパーテスト

＿＿＿＿＿＿

Eメールによる情報提供

日本学習図書では、Eメールでも入試情報を募集しております。
下記のアドレスに、アンケートの内容をご入力の上、メールをお送り下さい。

ojuken@nichigaku.jp

●行動観察

（例）好きなおもちゃで遊ぶ・グループで協力するゲームなど

〈実施日〉＿月＿日〈時間〉＿時＿分～＿時＿分〈着替え〉□有　□無

〈出題方法〉□肉声　□録音　□その他（　　　）〈お手本〉□有　□無

〈試験形態〉□個別　□集団（　　人程度）

〈会場図〉

〈内容〉

□自由遊び

＿＿＿＿＿＿

□グループ活動

＿＿＿＿＿＿

□その他

＿＿＿＿＿＿

●運動テスト（有・無）

（例）跳び箱・チームでの競争など

〈実施日〉＿月＿日〈時間〉＿時＿分～＿時＿分〈着替え〉□有　□無

〈出題方法〉□肉声　□録音　□その他（　　　）〈お手本〉□有　□無

〈試験形態〉□個別　□集団（　　人程度）

〈会場図〉

〈内容〉

□サーキット運動

□走り　□跳び箱　□平均台　□ゴム跳び

□マット運動　□ボール運動　□なわ跳び

□クマ歩き

□グループ活動＿＿＿＿＿＿

□その他＿＿＿＿＿＿

●知能テスト・口頭試問

〈実施日〉 ＿＿月＿＿日 〈時間〉 ＿＿時＿＿分 ～ ＿＿時＿＿分 〈お手本〉□有 □無

〈出題方法〉 □肉声 □録音 □その他（　　　　　） 〈問題数〉 ＿＿枚 ＿＿問

分野	方法	内容	詳細・イラスト
（例） お話の記憶	☑筆記 □口頭	動物たちが待ち合わせをする話	（あらすじ） 動物たちが待ち合わせをした。最初にウサギさんが来た。次にイヌくんが、その次にネコさんが来た。最後にタヌキくんが来た。 （問題・イラスト） ３番目に来た動物は誰か
お話の記憶	□筆記 □口頭		（あらすじ） （問題・イラスト）
図形	□筆記 □口頭		
言語	□筆記 □口頭		
常識	□筆記 □口頭		
数量	□筆記 □口頭		
推理	□筆記 □口頭		
その他	□筆記 □口頭		

●制作　（例）ぬり絵・お絵かき・工作遊びなど

〈実施日〉　月　日　〈時間〉　時　分　～　時　分

〈出題方法〉　□肉声　□録音　□その他（　　　）　〈お手本〉□有　□無

〈試験形態〉　□個別　□集団（　　人程度）

材料・道具	制作内容
□ハサミ □のり（□つぼ　□液体　□スティック） □セロハンテープ □鉛筆　□クレヨン（　色） □クーピーペン（　色） □サインペン（　色）□ □画用紙（□ A4　□ B4　□ A3 　□その他：　　） □折り紙　□新聞紙　□粘土 □その他（　　）	□切る　□貼る　□塗る　□ちぎる　□結ぶ　□描く　□その他（　　） タイトル：＿＿＿＿＿＿＿＿

●面接

〈実施日〉　月　日　〈時間〉　時　分　～　時　分　〈面接担当者〉　名

〈試験形態〉□志願者のみ（　）名　□保護者のみ　□親子同時　□親子別々

〈質問内容〉

※試験会場の様子をご記入下さい。

□志望動機　□お子さまの様子

□家庭の教育方針

□志望校についての知識・理解

□その他（　　　）

（詳　細）

・

・

・

・

例

校長先生　教頭先生

父　子　母

出入口

●保護者作文・アンケートの提出（有・無）

〈提出日〉　□面接直前　□出願時　□志願者考査中　□その他（　　　）

〈下書き〉　□有　□無

〈アンケート内容〉

（記入例）当校を志望した理由はなんですか（150 字）

●説明会（□有　□無）〈開催日〉　　月　　日〈時間〉　　時　　分　～　　時　　分

〈上履き〉□要　□不要〈願書配布〉□有　□無〈校舎見学〉□有　□無

〈ご感想〉

●参加された学校行事（複数回答可）

公開授業〈開催日〉　　月　　日〈時間〉　　時　　分　～　　時　　分

運動会など〈開催日〉　　月　　日〈時間〉　　時　　分　～　　時　　分

学習発表会・音楽会など〈開催日〉　　月　　日〈時間〉　　時　　分　～　　時　　分

〈ご感想〉

※是非参加したほうがよいと感じた行事について

●受験を終えてのご感想、今後受験される方へのアドバイス

※対策学習（重点的に学習しておいた方がよい分野）、当日準備しておいたほうがよい物など

＊＊＊＊＊＊＊＊＊＊＊＊＊　ご記入ありがとうございました　＊＊＊＊＊＊＊＊＊＊＊＊＊

必要事項をご記入の上、ポストにご投函ください。

なお、本アンケートの送付期限は入試終了後３ヶ月とさせていただきます。また、入試に関する情報の記入量が当社の基準に満たない場合、謝礼の送付ができないことがございます。あらかじめご了承ください。

ご住所：〒

お名前：　　　　　　　メール：

TEL：　　　　　　　FAX：

アンケートのご記入ありがとうございました

ご記入頂いた個人に関する情報は、当社にて厳重に管理致します。弊社の個人情報取り扱いに関する詳細は、www.nichigaku.jp/policy.php の「個人情報の取り扱い」をご覧下さい。

分野別 小学入試練習帳 ジュニアウォッチャー

1．点・線図形	小学校入試で出題頻度の高い『点・線図形』の模写を、難易度の低いものから段階別に幅広く練習することができるように構成。
2．座標	図形の位置模写という作業を、難易度の低いものから段階別に練習できるように構成。
3．パズル	様々なパズルの問題を難易度の低いものから段階別に練習できるように構成。
4．同図形探し	小学校入試で出題頻度の高い、同図形選びの問題を繰り返し練習できるように構成。
5．回転・展開	図形などを回転、または展開したとき、形がどのように変化するかを学習し、理解を深められるように構成。
6．系列	数、図形などの様々な系列問題を、難易度の低いものから段階別に練習できるように構成。
7．迷路	迷路の問題を繰り返し練習できるように構成。
8．対称	対称に関する問題を４つのテーマに分類し、各テーマごとに問題を段階別に練習できるように構成。
9．合成	図形の合成に関する問題を、難易度の低いものから段階別に練習できるように構成。
10．四方からの観察	もの（立体）を様々な角度から見て、どのように見えるかを推理する問題を段階別に整理し、１つの形式で複数の問題を練習できるように構成。
11．いろいろな仲間	ものや動物、植物の共通点を見つけ、分類していく問題を中心に構成。
12．日常生活	日常生活における様々な問題を６つのテーマに分類し、各テーマごとに一つの問題形式で複数の問題を練習できるように構成。
13．時間の流れ	『時間』に着目し、様々なものごとは、時間が経過するとどのように変化するのかということを学習し、理解できるように構成。
14．数える	様々なものを『数える』ことから、数の多少の判定やかけ算、わり算の基礎までを練習できるように構成。
15．比較	比較に関する問題を５つのテーマ（数、高さ、長さ、量、重さ）に分類し、各テーマごとに問題を段階別に練習できるように構成。
16．積み木	数える対象を積み木に限定した問題集。
17．言葉の音遊び	言葉の音に関する問題を５つのテーマに分類し、各テーマごとに問題を段階別に練習できるように構成。
18．いろいろな言葉	表現力をより豊かにするいろいろな言葉として、擬態語や擬声語、同音異義語、反意語、数詞を取り上げた問題集。
19．お話の記憶	お話を聴いてその内容を記憶、理解し、設問に答える形式の問題集。
20．見る記憶・聴く記憶	「見て憶える」「聴いて憶える」という『記憶』分野に特化した問題集。
21．お話作り	いくつかの絵を元にしてお話を作る練習をして、想像力を養うことができるように構成。
22．想像画	描かれてある形や景色に好きな絵を描くことにより、想像力を養うことができるように構成。
23．切る・貼る・塗る	小学校入試で出題頻度の高い、はさみやのりなどを用いた巧緻性の問題を繰り返し練習できるように構成。
24．絵画	小学校入試で出題頻度の高い、お絵かきやぬり絵などクレヨンやクーピーペンを用いた巧緻性の問題を繰り返し練習できるように構成。
25．生活巧緻性	小学校入試で出題頻度の高い日常生活の様々な場面における巧緻性の問題集。
26．文字・数字	ひらがなの清音、濁音、拗音、拗長音、促音と１～20までの数字に焦点を絞り、練習できるように構成。
27．理科	小学校入試で出題頻度が高くなりつつある理科の問題を集めた問題集。
28．運動	出題頻度の高い運動問題を種目別に分けて構成。
29．行動観察	項目ごとに問題提起をし、「このような時はどうか、あるいはどう対処するのか」の観点から問いかける形式の問題集。
30．生活習慣	学校から家庭に提起された問題と思って、一問一問絵を見ながら話し合い、考える形式の問題集。
31．推理思考	数、量、言語、常識（含理科、一般）など、諸々のジャンルから問題を構成し、近年の小学校入試問題傾向に沿って構成。
32．ブラックボックス	箱や筒の中を通ると、どのようなお約束でどのように変化するかを推理・思考する問題集。
33．シーソー	重さの違うものをシーソーに乗せた時どちらに傾くのか、またどうすればシーソーは釣り合うのかを思考する基礎的な問題集。
34．季節	様々な行事や植物などを季節別に分類できるように知識をつける問題集。
35．重ね図形	小学校入試で頻繁に出題されている「図形を重ね合わせてできる形」についての問題を集めました。
36．同数発見	様々な物を数え「同じ数」を発見し、数の多少の判断や数の認識の基礎を学べるように構成した問題集。
37．選んで数える	数の学習の基本となる、いろいろなものの数を正しく数える学習を行う問題集。
38．たし算・ひき算1	数字を使わず、たし算とひき算の基礎を身につけるための問題集。
39．たし算・ひき算2	数字を使わず、たし算とひき算の基礎を身につけるための問題集。
40．数を分ける	数を等しく分ける問題です。等しく分けたときに余りが出るものもあります。
41．数の構成	ある数がどのような数で構成されているか学んでいきます。
42．一対多の対応	一対一の対応から、一対多の対応まで、かけ算の考え方の基礎学習を行います。
43．数のやりとり	あげたり、もらったり、数の変化をしっかりと学びます。
44．見えない数	指定された条件から数を導き出します。
45．図形分割	図形の分割に関する問題集。パズルや合成の分野にも通じる様々な問題を集めました。
46．回転図形	「回転図形」に関する問題集。やさしい問題から始め、いくつかの代表的なパターンから、段階を踏んで学習できるよう編集されています。
47．座標の移動	「マス目の指示通りに移動する問題」と「指示された数だけ移動する問題」を収録。
48．鏡図形	鏡で左右反転させた時の見え方を考えます。平面図形から立体図形、文字、絵まで。
49．しりとり	すべての学習の基礎となる「言葉」を学ぶこと、特に「語彙」を増やすことに重点をおき、さまざまなタイプの「しりとり」問題を集めました。
50．観覧車	観覧車やメリーゴーラウンドなどを舞台にした「回転系列」の問題集。「推理思考」分野の問題ですが、要素として「図形」や「数量」も含みます。
51．運筆①	鉛筆の持ち方を学び、点線なぞり、お手本を見ながらの模写で、線を引く練習をします。
52．運筆②	運筆①からさらに発展し、「欠所補完」や「迷路」などを楽しみながら、より複雑な鉛筆運びを習得することを目指します。
53．四方からの観察 積み木編	積み木を使用した「四方からの観察」に関する問題を練習できるように構成。
54．図形の構成	見本の図形がどのような部分によって形づくられているかを考えます。
55．理科②	理科的知識に関する問題を集中して練習する「常識」分野の問題集。
56．マナーとルール	道路や駅、公共の場でのマナー、安全や衛生に関する常識を学べるように構成。
57．置き換え	さまざまな具体的・抽象的事象を記号で表す「置き換え」の問題を扱います。
58．比較②	長さ・高さ・体積・数などを数学的な知識を使わず、論理的に推測する「比較」の問題を練習できるように構成。
59．欠所補完	線と線のつながり、欠けた絵に当てはまるものなどを求める「欠所補完」に取り組める問題集です。
60．言葉の音（おん）	しりとり、決まった順番の音をつなげるなど、「言葉の音」に関する問題に取り組める練習問題集です。

洗足学園小学校　専用注文書

年　月　日

合格のための問題集ベスト・セレクション

＊入試頻出分野ベスト３

1st 図　形
観察力　思考力

2nd 言　語
語彙力　知　識

3rd 常　識
知　識　考える力　公　衆

例年、幅広い分野から出題されるので、しっかりとしたペーパーテストの準備が必要になります。幅広さだけでなく難しさもあるので、質・量ともに高いレベルでの学習が求められます。

分野	書　名	価格(税込)	注文	分野	書　名	価格(税込)	注文
図形	Ｊｒ・ウォッチャー２「座標」	1,650円	冊	数量	Ｊｒ・ウォッチャー38「たし算・ひき算１」	1,650円	冊
図形	Ｊｒ・ウォッチャー７「迷路」	1,650円	冊	数量	Ｊｒ・ウォッチャー39「たし算・ひき算２」	1,650円	冊
図形	Ｊｒ・ウォッチャー10「四方からの観察」	1,650円	冊	図形	Ｊｒ・ウォッチャー46「回転図形」	1,650円	冊
数量	Ｊｒ・ウォッチャー14「数える」	1,650円	冊	図形	Ｊｒ・ウォッチャー48「鏡図形」	1,650円	冊
数量	Ｊｒ・ウォッチャー16「積み木」	1,650円	冊	図形	Ｊｒ・ウォッチャー53「四方からの観察 積み木編」	1,650円	冊
言語	Ｊｒ・ウォッチャー17「言葉の音遊び」	1,650円	冊	図形	Ｊｒ・ウォッチャー54「図形の構成」	1,650円	冊
言語	Ｊｒ・ウォッチャー18「いろいろな言葉」	1,650円	冊	常識	Ｊｒ・ウォッチャー55「理科②」	1,650円	冊
巧緻性	Ｊｒ・ウォッチャー23「切る・貼る・塗る」	1,650円	冊	常識	Ｊｒ・ウォッチャー56「マナーとルール」	1,650円	冊
巧緻性	Ｊｒ・ウォッチャー24「絵画」	1,650円	冊	言語	Ｊｒ・ウォッチャー60「言葉の音（おん）」	1,650円	冊
知識	Ｊｒ・ウォッチャー27「理科」	1,650円	冊		実践 ゆびさきトレーニング①②③	2,750円	各　冊
観察	Ｊｒ・ウォッチャー28「運動」	1,650円	冊		面接テスト問題集	2,200円	冊
観察	Ｊｒ・ウォッチャー29「行動観察」	1,650円	冊		１話５分の読み聞かせお話集①②	1,980円	各　冊
推理	Ｊｒ・ウォッチャー32「ブラックボックス」	1,650円	冊		お話の記憶 初級編	2,820円	
常識	Ｊｒ・ウォッチャー34「季節」	1,650円	冊		お話の記憶 中級編・上級編	2,200円	各　冊

合計	冊	円

（フリガナ） 氏　名	電　話 ＦＡＸ E-mail
住 所　〒　　－	以前にご注文されたことはございますか。 有　・　無

★お近くの書店、または記載の電話・FAX・ホームページにてご注文をお受けしております。
電話：03-5261-8951　FAX：03-5261-8953　代金は書籍合計金額＋送料がかかります。
※なお、落丁・乱丁以外の理由による商品の返品・交換には応じかねます。
★ご記入頂いた個人に関する情報は、当社にて厳重に管理致します。なお、ご購入の商品発送の他に、当社発行の書籍案内、書籍に関する調査に使用させて頂く場合がございますので、予めご了承ください。

日本学習図書株式会社
http://www.nichigaku.jp